Encuentros con Jesús

Manual del evento

ESCUELA BÍBLICA DE VACACIONES PARA NIÑOS, JOVENES, Y ADULTOS

Editorial Concordia

3558 South Jefferson Avenue, Saint Louis, Missouri, 63118-3968 U.S.A.

1-877-450-8694 • editorial.cph.org

Autoras: Laura Monzón de Abbattista y Verónica Lucrecia Sturtz de Brunz
Ilustraciones y diseño: Sandra Kevorkian y Leandro Fernández
Láminas bíblicas: Sandra Kevorkian
Asesoramiento teológico, interpretación de las lecciones,
y estudios bíblicos para adultos: Rev. Sergio Schelske
Dirección y edición: Rev. Héctor E. Hoppe
Intervinieron en la producción del disco compacto:
Coro "Fuente de Vida" de la Iglesia Evangélica Luterana Argentina de Bahía Blanca, Argentina.
Director: Germán Falcioni
Composición, bases, y grabación: Germán Falcioni
Editorial Concordia es la división hispana de Concordia Publishing House.

Impreso en Colombia

Contenido

LECCIÓN	Tema	Enseñanza
1	Jesús bendice a todos. A mí también	Dios quiere que todos recibamos su bendición
2	Jesús me llama a su presencia	Dios está atento a nuestras necesidades
3	Jesús me acepta cuando nadie lo hace	Dios busca a los despreciados
4	Jesús me conduce a su Palabra	Dios nos enseña que su Palabra es lo más importante
5	Jesús me bendice para vida eterna	Somos salvos sólo por la fe en Jesús

Historia Bíblica	Versículo para memorizar	Canción
Jesús bendice a los niños **Lucas 18:15-17**	Cualquiera que reconoce que Jesús es el Hijo de Dios, vive en Dios y Dios en él. 1 Juan 4:15	**Valioso para Cristo**
Jesús da la vista a un ciego **Lucas 18:35-43**	Señor, óyeme y ten compasión de mí; Señor, ¡ayúdame! Salmo 30:10	**Cristo me hizo ver**
Jesús y Zaqueo **Lucas 19:1-10**	Aunque mi padre y mi madre me abandonen, tú, Señor, te harás cargo de mí. Salmo 27:10	**Zaqueo y Jesús**
Jesús en casa de María y Marta **Lucas 10:38-42**	Tu palabra es una lámpara a mis pies y una luz en mi camino. Salmo 119:105	**Una visita importante**
Pablo y Silas con el carcelero de Filipos **Hechos 16:16-34**	El que crea y sea bautizado, será salvo. Marcos 16:16	**Libertad para siempre**

PRESENTACIÓN

Estimado maestro:

Esta EBV enseña que todo lo que necesitamos para nuestra vida lo encontramos en la palabra de Dios. Este año se recuerdan los 500 años de la Reforma que realizara el Dr. Martín Lutero. Utilizando la figura de un estudiante de la época, llamado Martín, acercamos los puntos centrales de la fe cristiana: Dios nos ama, nos perdona los pecados, nos recibe como sus hijos a causa de la muerte y resurrección de Jesús, y nos da la salvación sólo por gracia.

Encuentros con Jesús le da la maravillosa oportunidad de compartir la palabra de Dios con aquellos que aún no conocen el amor de Dios. ¡Es el gran privilegio que Dios ha concedido a su iglesia!

¿POR QUÉ REALIZAR UNA ESCUELA BÍBLICA DE VACACIONES?

- Porque involucra a toda la congregación en un programa evangelístico.
- Porque es una valiosa herramienta misionera.
- Porque se crece en la Palabra y da oportunidad de testificar acerca del Salvador.
- Porque la iglesia se abre a la comunidad.
- Porque es en vacaciones, cuando en general, se dispone de mayor tiempo libre.

¿CÓMO PREPARARSE?

- Reúna voluntarios dispuestos a colaborar en las diferentes tareas:
- Acondicionamiento del lugar.
- Distribución de invitaciones.
- Preparación de materiales.
- Decoración.

Comparta con el grupo de maestros las indicaciones generales en cuanto al uso del material. Recuerde que es muy importante que se interioricen de los lineamientos teológicos, contenidos, y desarrollo de cada clase con anticipación. Por ejemplo en algunas congregaciones todos los maestros y voluntarios realizan la EBV de modo práctico, cubriendo de este modo la mayoría de las eventualidades.

Encuentros con Jesús es un material de escuela bíblica de vacaciones sencillo de usar, para 5 días de 2 horas de duración aproximadamente, sin incluir el tiempo de la merienda. El material es flexible para poder usarse en días consecutivos o alternados.

¿CÓMO ORGANIZAR CADA DÍA?

Cada día tendrá los siguientes momentos:

- Bienvenida, oración, y alabanza, 20 minutos
- Relato de la historia, 15 minutos.
- División en grupos por edades y desarrollo de la clase, 1 hora 15 minutos.

PARA TENER EN CUENTA

- Lea atentamente antes de cada clase las indicaciones de este libro del maestro.
- Comience cada día reuniendo a todo el grupo. Indique la fecha del día en el panel de asistencia (reproducibles pp 95-96).
- Dedique un tiempo para la oración, atendiendo los motivos de los participantes, y el canto. Lea a continuación la historia por capítulos, uno para cada día.
- Sugerimos que la lectura la realice un maestro o un adolescente que forme parte del programa. También puede usar el disco compacto con la historia grabada en MP3.
- Divida a los participantes, niños y adolescentes, en cuatro grupos, según las edades para continuar con las actividades sugeridas. Recuerde tener una Biblia siempre a mano para que los participantes vean que las historias están tomadas de la palabra de Dios.

ESTE MATERIAL ESTÁ PREPARADO PARA 4 NIVELES:

- Grupo 1: de 3 a 6 años aproximadamente
- Grupo 2: de 7 a 10 años aproximadamente
- Grupo 3: de 11 a 14 años aproximadamente
- Adultos

PANEL DE ASISTENCIA:

Para los participantes es muy importante marcar su asistencia cada día y hacer saber que estuvieron presentes.

El panel de asistencia es, en ese sentido, una herramienta útil, pues permite que los mismos participantes (según su edad, serán ayudados por su maestro) marquen su presencia.

El panel de asistencia se encuentra en reproducibles (pp 95-96). Debe fotocopiar uno para cada participante. Pegar cada hoja sobre cartulina de color. Cortar, en forma individual, las "fichas", que se pegarán en los círculos marcados.

MATERIALES REPRODUCIBLES QUE ENCONTRARÁ AL FINAL DE ESTA GUÍA:

- Tarjetas de invitación para repartir entre los vecinos de la iglesia y del barrio.
- Certificados de participación para entregar el último día.
- Imágenes recortables para utilizar según se indique cada día.
- Lineamientos para la celebración de clausura de la EBV junto con la congregación.
- Canciones inéditas para niños con sus letras y partituras.
- Estudios bíblicos para adultos.

OTROS MATERIALES QUE NECESITARÁ:

- Un reproductor de discos compactos, Biblias, pizarrones, tizas, telas, etc. Al leer las lecciones encontrará la lista de materiales específicos para cada clase.

RESUMEN DE LA HISTORIA

Martín es un muchacho estudiante. Él está cursando la universidad. Corre el año 1500 aproximadamente.

Es un joven destacado en los estudios. Pero desde hace algún tiempo su preocupación se centra en alcanzar la salvación eterna, pues tal y como la conoce, le resulta inalcanzable.

Al final de la historia, no sólo logra conocer lo que Dios ha hecho por su salvación, sino que también lo da a conocer a todo el pueblo que lo rodea, alcanzando su descubrimiento relevancia a nivel mundial.

AMBIENTACIÓN

Esta EBV se desarrolla en un monasterio dentro de un castillo de los años 1500. El salón puede decorarse con papeles afiches o cartulinas en los que se hayan dibujado grandes ladrillos, para simular las paredes del castillo. Sugerimos tapar las ventanas y dejar sólo pequeños espacios por donde entre la luz, imitando las pequeñas ventanas de los castillos. Una de esas ventanas se utilizará para colocar cada día el vitral que acompaña la lectura de ese día. Reproducibles, p 96.

Para la confección de los vitrales seguir las indicaciones de las páginas de reproducibles (p 97). Los materiales necesarios para la confección de los vitrales son: papel celofán de colores varios, cinta de pegar transparente, y cartulina negra para imitar las uniones de los trozos de vidrio.

Para realizar las lecturas, usar, en la medida de lo posible, un atril, y a su alrededor velas colocadas en candeleros o velones hechos con cilindros de cartulina blanca, la llama se realizará con trozos de papel celofán.

Las paredes que rodean el atril se mostrarán con estanterías repletas de libros, realizadas en papeles de afiche y/o cartulina. Se puede usar un modelo de puerta de castillo en reproducibles p 98.

Querido maestro:

Dios le ha regalado una oportunidad para compartir su Palabra tanto con quienes ya son creyentes como con quienes aún no conocen a Jesús como su Salvador. Comparta la seguridad de saber que Dios está siempre, aún en las dificultades de nuestras vidas y es él quién nos acompaña a salir triunfantes de ellas.

Historia en capítulos

INTRODUCCIÓN

¡Esta historia sucedió hace muuuuchoooo tiempo atrás! Comenzó más o menos en el año 1507. ¿Puedes imaginarlo? Los príncipes y las princesas existían y eran los dueños y protectores de las ciudades.

En una de esas ciudades, vivía un muchacho llamado Martín. Martín era un joven estudiante. Hacía unos años que estudiaba en la universidad. Aunque era tiempo de descanso para muchos, Martín prefería tomar los cursos de verano y adelantar sus estudios. Su pueblo natal estaba a varios kilómetros de distancia y los caminos no eran fáciles, en invierno la nieve los tapaba, en verano los feroces animales asechaban.

La familia de Martín era muy trabajadora. Sus padres eran campesinos y hacían todo lo posible para mantener los gastos de la familia y los estudios de Martín. Él era el mayor de nueve hermanos. El padre y la madre esperaban que él estudiara, tuviera un título, y pudiera ayudar con los gastos de la familia. Por eso permitían que Martín se quedara en la universidad, durante el verano. Si bien su familia lo extrañaba y quería verlo, entendía el esfuerzo que hacía Martín. Cada mes enviaban una carta, para contarle las noticias de la familia, y algo de mercadería, para colaborar con la economía de su hijo. Un mercader de frutas que pasaba por el lugar acercaba cada mes, la carta y la mercadería hasta la universidad. El joven era un buen estudiante. Estudiaba idiomas, historia, matemáticas, las ciencias y los libros de la Biblia. Ésas eran las cosas que se estudiaban en esa época. En los ratos libres además de practicar música, cuidaba la huerta y los animales que daban leche y huevos para las comidas.

Una mañana, como cualquier otra, por entre los muros que protegían la universidad, la brisa mañanera llegaba hasta las habitaciones. El sol asomaba. El suave aroma del pan recién horneado y la mantequilla fresca eran la irresistible invitación para saltar de la cama.

¡TAN! ¡Tan! ¡Tan! Las campanas sonaron con intensidad.

–¡Son seis– Martín las contó, una a una.

Las campanas señalaban las horas transcurridas en el día. Las primeras campanadas se daban a las seis en punto. Las tareas que se realizaban en el monasterio eran estrictas. Seis de la mañana: aseo personal y del cuarto, aseo de los pasillos, preparación del salón de la comida para el desayuno de los profesores y reflexión personal antes de la primera clase. La primera clase se daba a las siete de la mañana.

El pueblo, cercano al monasterio, comenzaba con sus actividades rutinarias.

Para Martín, ese verano, parecía comenzar como otros. Él quería aprovechar a estudiar y se esforzaba mucho para leer cuanto podía.

CAPÍTULO 1

MARTÍN SE ACERCA A LA VERDAD

Como les contaba, la mañana había comenzado como siempre. Martín escuchó las campanas y se levantó con muchas energías para hacer todas las tareas que le tocaban según la lista de tareas.

Martín llegó de prisa a la cocina, saludó amablemente a los presentes y leyó:

–¡Pasillo central!– ¡Martín saltó de alegría!

Cuando nuestro amigo limpiaba el pasillo central podía oír las clases del profesor Lectione. Lectione era un profesor reconocido por sus conocimientos, en especial en Biblia.

Por esos días Martín tenía muchas dudas que lo angustiaban. ¿Quién podrá entrar al reino de los cielos? ¿A quién bendice Dios? Martín hacía cuánto podía para poder entrar al cielo, pero no estaba conforme. En los libros que había leído no encontraba nada que lo ayudara. Tal vez si consultaba con el profesor Lectione, podría aprender algo más.

Martín cargó las cubetas con agua, tomó el trapeador, y caminó hasta el pasillo central. El agua derramada por las cubetas mostraba el camino que seguía Martín hasta llegar al lugar de trabajo.

El profesor Lectione ensayaba su clase.

Mientras repasaba el piso, Martín escuchaba y aprendía. Martín terminó su labor y se retiró del lugar, en silencio, como debía hacerlo. ¡Las baldosas quedaron relucientes!

Pensando en lo que había escuchado, Martín, distraído, comenzó a caminar por un corredor que nunca antes había visto. De pronto sus pasos se interrumpieron al desconocer el lugar donde se encontraba. En el piso de esa habitación los primeros rayos del sol matutino parecían multicolores. ¡Al levantar la vista Martín quedó sorprendido!

¡Sin querer Martín había entrado en una espectacular biblioteca! Esos colores en el piso provenían de un hermoso dibujo, hecho con vidrios de colores. ¡Ese hermoso dibujo contenía un mensaje poderoso!

Martín quería descubrir qué significaba ese mensaje. Pero había un problema, los estudiantes no podían pasear por cualquier lugar del monasterio sin solicitar un permiso especial. Tampoco tenían permitido consultar con los profesores fuera de los horarios asignados.

¿Qué significaba esa imagen?

Las campanas de las siete de la mañana comenzaron a sonar. Martín tomó las cubetas y corrió. Llegó a la cocina, vació los recipientes en el patio, volvió a su habitación, y tomó los apuntes necesarios para participar de su clase. Las campanas sonaban con ritmo constante.

Martín se apresuró para llegar a tiempo. Cuando cruzó la puerta de entrada al salón sonó la séptima campana.

Durante la clase, el aplicado alumno estaba distraído. ¿Qué significaba esa imagen? ¡Martín no se daría por vencido!

Cuando terminó la clase, el profesor Numeratus, que enseñaba matemática, llamó a Martín y le preguntó qué le pasaba. El estudiante le contó al profesor lo que le había pasado y las dudas que tenía. El profesor Numeratus le aconsejó que hablara con el profesor Lectione, él lo autorizaba.

Martín buscó al profesor Lectione. El profesor estaba sentado en el patio leyendo.

–¡Profesor Lectione!– interrumpió Martín, –necesito hacerle una consulta.

–¡Habla, Martín!– respondió, el estudioso.

–Hoy temprano confundí el camino a la cocina– explicaba Martín, –y encontré una biblioteca que nunca había visto.

–¿Cuál es tu consulta, Martín?– preguntó el profesor.

–Encontré, en la biblioteca, una ventana con una hermosa imagen hecha con vidrios de color. ¿Qué significado tiene ese dibujo?–Y continuó diciendo: –Es la imagen de Jesús conversando con unos niños. ¿Qué conversa con niños?

El profesor reclinó su frente, durante unos segundos y dijo: –Martín, me alegro que hayas encontrado esa biblioteca y que hayas visto ese vitral. Si quieres saber qué significa esa imagen debes leer la Biblia y lo sabrás.

Martín se encogió de hombros y dijo: –Ya he leído algo de la Biblia. Pero no recuerdo nada que se relacione.

Lectione se puso de pie y poniendo su mano sobre el hombro del joven, volvió a decir:

–¡Martín pide a Dios que guíe tu lectura! Lee el libro de Lucas.

Después de las clases de la mañana, nuestro amigo fue a su cuarto y buscó en una Biblia el evangelio de Lucas y comenzó a leer detenidamente. Martín llegó a un relato muy breve que se hace acerca de Jesús y los niños. Mientras leía, Martín comprendió la imagen que había visto y en voz alta dijo: –¡Jesús bendice a todos! ¡Para entrar al reino de los cielos hay que ser como un niño! ¡Y ésa es la imagen del vitral: es Jesús invitándonos a ser como niños! ¡Eso es maravilloso! ¡Tengo que seguir leyendo la Biblia!

Martín oró esa noche y pidió a Dios que lo ayudara a comprender lo que decía su Palabra, la Biblia.

CAPÍTULO 2

UNA NUEVA MIRADA

Antes que tocaran las campanas de las seis, Martín ya estaba levantado, en su habitación, leyendo. Lo que había descubierto el día anterior lo llenaba de curiosidad por conocer más. La Biblia tenía muchos mensajes que él quería conocer.

Cuando sonaron las campanas de las seis, Martín ya había limpiado su cuarto. Rápidamente se acercó a la lista de actividades de esa mañana.

Martín: Limpiar los vidrios del pasillo central.

¡Martín no podía más de la emoción! ¡Otra vez podría escuchar al profesor Lectione! ¡Qué suerte! ¿Qué suerte? Mientras Martín tomaba los elementos de limpieza, pensaba: –¿Será suerte esto que me está sucediendo? Mientras se acercaba al sitio de sus tareas matutinas, se le ocurrió otra pregunta: ¿Cómo conoce Dios lo que necesitamos?

Martín mojó los paños y comenzó a limpiar los ventanales. Mientras lo hacía, los vidrios limpios le dejaron ver hacia afuera, y pudo ver a las personas del pueblo haciendo sus tareas de todas las mañanas, y entonces pensó ¿Acaso Dios nos verá todo el tiempo?

Martín se apresuró y encontró al profesor Lectione en el pasillo.

–¡Buenos días, profesor!

–¡Buenos días, Martín!

–¿Puedo hacerle una pregunta?

–¡Puedes preguntar, Martín!– Y agregó el profesor: –Recuerda que tienes permiso del Consejo de Profesores para usar la biblioteca de los vitrales.

–Quisiera saber ¿cómo conoce Dios nuestras necesidades? ¿Él está siempre atento a nosotros?

–Te recomiendo, Martín, que continúes con la lectura del libro de Lucas. Lee la historia del hombre ciego de la ciudad de Jericó– y continuó hablando el profesor: –Me alegra que estés aprendiendo más de la Biblia, pero recuerda cumplir con tus obligaciones de estudiante. Ahora termina tus tareas y participa de tu clase.

–¡Muchas gracias por su ayuda, profesor! Agradeció Martín.

Martín llegó a tiempo a su clase con el profesor Relatus. El profesor Relatus dictaba la clase de idiomas. El joven se mantuvo atento a la clase.

Sus compañeros de clase notaron a Martín entusiasmado y le preguntaron:

–Martín, ¿qué sucede? ¿Cuál es el motivo de tu alegría?

El muchacho no supo qué responder y dijo: –¡No sé qué me sucede! ¡En cuánto lo sepa les contaré!

Al terminar la clase de idiomas, nuestro entusiasta lector, pidió permiso y fue a la sala de los vitrales. En el atril de lectura, Martín buscó el pasaje bíblico que le había indicado el profesor Lectione. La historia del ciego hizo comprender a Martín que aunque Dios conoce todas nuestras necesidades, espera que nosotros le pidamos aquello que necesitamos, mostrando así la fe que tenemos en él.

Antes de cerrar la Biblia, Martín, allí mismo parado junto al atril, levantó la vista y pudo ver que detrás de una gran estantería llena de libros había otro vitral. Caminó para acercarse y pudo ver en la imagen unas manos posadas en los ojos de un hombre. Al ver esto Martín dijo: ¡Jesús quiere que todos le veamos!

CAPÍTULO 3

CON ESPECIAL AMOR

Por esos días comenzó a rumorearse que Martín era el alumno favorito de los profesores. Que él sólo quería aprovechar su lectura para saltarse las tareas. Y también se rumoreaba que Martín se creía más inteligente que los demás estudiantes. Algunos compañeros, incluso, habían dejado de saludarlo. ¡Martín no se sentía nada bien!

Un día, después de terminar el aseo del patio, mientras guardaba los elementos de limpieza, los cocineros le entregaron una nota en la que decía: "¡Persiste en tu aprendizaje! Lee en la Biblia, Lucas 19:1-10. Profesor Argumenti." El profesor Argumenti era un joven profesor que enseñaba junto al profesor Lectione.

Martín guardó la nota y esperó hasta después de la clase de matemáticas, para volver a su ansiada lectura. Esta vez, el joven lector, buscó su Biblia y como era el momento de descanso, fue al patio, junto a otros alumnos que también tomaban un recreo en ese lugar. Se sentó debajo de un colorido cerezo que había en un costado del patio, y comenzó con su lectura.

Martín abrió su Biblia y buscó el texto que le indicaba la nota que le dieron los de la cocina. Comenzó a leer pausadamente, tratando de entender cada palabra. Leía en voz alta, como invitando a otros a escuchar la lectura. Algunos compañeros de estudios se acercaron para escuchar la lectura.

Cuando Martín leyó: "… el Hijo del hombre ha venido a buscar y salvar lo que se había perdido", uno de los estudiantes preguntó: –¿Es que acaso estamos perdidos sin Dios?– Sí, respondió Martín, y afirmó: –Sin Dios estamos perdidos, y Jesús por su gran amor nos rescata. Ésos que el mundo rechaza, ésos son los buscados por Jesús.

En ese momento Martín levantó la vista y mirando hacia la torre de la biblioteca vio otro de los vitrales que rodeaban la torre. En él podía verse a un hombre, cubriéndose el rostro con las manos y a Jesús que extendía sus brazos en señal de invitación y aceptación.

Las campanas marcaron las doce del mediodía, y todos los estudiantes que estaban descansando en el patio se encaminaron hacia el comedor. Martín caminaba pensativo junto a algunos camaradas. En tanto se acercaban al comedor Martín oraba:

–¡Señor, búscame a mí también!

CAPÍTULO 4

LA PARTE MÁS IMPORTANTE

La universidad ya estaba en pleno movimiento esa mañana. Los alumnos se dirigían a su primera clase. Los pasillos estaban llenos de jóvenes que conversaban y repasaban sus lecciones. Martín era uno de ellos. El grupo de Martín esa mañana tenía clase con el profesor Lectione. Al entrar en el salón de clase, ninguno de los presentes quería compartir el asiento con Martín.

Al ingresar el profesor al salón notó el malestar de los participantes y preguntó al grupo qué estaba sucediendo:

–¡Cuéntenme! ¿Qué sucede hoy aquí?

Uno de los muchachos, se animó a hablar.

–Lo que sucede es que Martín sólo quiere leer la Biblia. Dice que en ella hay mensajes importantes, para cada uno de nosotros.

–¡Creemos que está descuidando sus obligaciones!

– ¡Parece que fuera más importante que nosotros!

El profesor interrumpió. Y preguntó otra vez: –¿Quién vio las tareas de Martín desatendidas?

–Eso nos contaron, profesor– dijeron casi a coro varios de los presentes.

–Les explicaré: no se dejen llevar por los comentarios–. Y agregó: –¡Martín ha elegido la mejor parte! Y la mejor parte es estar con Dios el mayor tiempo posible. ¡Y qué mejor manera de estar con Dios que leyendo su Palabra!

–En la clase de hoy leeremos del libro de Lucas la historia en la que Jesús visita a unos amigos en su casa.

¿Hay en la biblioteca algún recordatorio de esto?

–Sí– respondió Martín, –el vitral que tiene un libro abierto y que a su vez, así abierto, irradia luz a quienes se acercan a él. ¡Elijan la mejor parte, la de estar junto a nuestro Señor!

CAPÍTULO 5

VIDA PARA SIEMPRE

La fama de Martín como lector de la Biblia se había extendido hasta el pueblo que rodeaba el monasterio. Cuando Martín salía para hacer compras, en el pueblo, la gente le preguntaba acerca de sus lecturas y él les contaba lo que había aprendido.

Había un detalle, sin embargo, que Martín necesitaba saber. ¿Cómo alcanzaría la salvación?

Cuando podía ayudar ayudaba, oraba con frecuencia, continuaba con las lecturas de la Biblia, pedía perdón por sus pecados y aun así su alma no hallaba paz ¿De qué se estaba olvidando? ¿Qué le faltaba hacer?

Era la tarde de un hermoso día soleado y Martín caminaba por los jardines que rodeaban la casa de estudio. Pensando en todo lo que había leído y aprendido, de repente delante de él se presentó la sombra que proyectaba la cruz del templo que había dentro de los muros que rodeaban el castillo. Martín recordó haber visto en la biblioteca principal un vitral con ese dibujo. ¿Por qué sería la cruz tan importante para dedicarle un vitral? ¡Precisamente la cruz, que significaba tanto dolor! ¿Por qué sería importante esa cruz que recordaba angustia y muerte?

Martín volvió corriendo al monasterio. Tenía que volver a ver ese vitral. Las piedras del camino entraban en sus sandalias y estorbaban su paso. El polvo levantado en el camino daba cuenta de la prisa que llevaba.

Al ingresar a la torre Martín se detuvo para tomar una bocanada de aire que le permitiera continuar con su carrera. Emprendió la trepada de los escalones, dando zancadas, salteando algunos, para acelerar la llegada. Su corazón parecía salirse de su pecho. ¿Y si la respuesta a sus dudas había estado allí, todo el tiempo frente a sus ojos?

¡Señor, dame la respuesta que necesito! Era su oración mientras alcanzaba la puerta de ingreso a la biblioteca.

Martín se recostó sobre el marco de la puerta, recobrando el aliento. Sus ojos permanecían cerrados recuperándose de la exigida corrida. Al abrir los ojos Martín cayó de rodillas al suelo. El sol de la tarde penetraba con sus imponentes rayos, atravesando un ventanal y en el piso de la biblioteca se reflejaba la imagen de aquel vitral: ¡La cruz!, exclamó Martín. Cuando sus ojos se dirigen al vitral observa que la cruz estaba iluminada por un sol naciente que daba la idea de esperanza.

Con el ánimo recobrado, Martín caminó hasta el atril de en medio del salón y leyó el pasaje bíblico señalado en el libro de Hechos de los Apóstoles.

Al terminar su lectura, vio que varios de sus compañeros estaban a la entrada del salón escuchando atentamente su lectura. Martín recordó que sus padres le habían hablado acerca de su bautismo y compartió estos recuerdos con aquellos estudiantes.

Junto a los alumnos había algunos profesores, entre ellos el profesor Lectione.

Martín dijo a viva voz: –La fe es un regalo que Jesús nos da. No hay nada que podamos hacer para recibirlo o merecerlo. ¡Alaben al Señor, porque él es bueno! ¡Contemos a todos que en Cristo hay vida, y que sólo es por gracia que alcanzamos la salvación!

En los años que siguieron, Martín siguió aprendiendo y preparándose. Algunos años después el mundo entero supo de ese joven Martín que proclamaba la salvación a través de Jesucristo y la fe en él.

HISTORIAS BÍBLICAS

DÍA 1: JESÚS BENDICE A LOS NIÑOS

Lucas 18:15-17

15 También le llevaban niñitos a Jesús, para que los tocara; pero cuando los discípulos lo vie-
ron, comenzaron a reprender a quienes los llevaban. 16 Entonces Jesús los llamó y dijo:

–Dejen que los niños vengan a mí, y no se lo impidan, porque el reino de Dios es de quie-
nes son como ellos. 17 Les aseguro que el que no acepte el reino de Dios como un niño, no
entrará en él.

DÍA 2: JESÚS DA LA VISTA A UN CIEGO

Lucas 18:35-43

35 Cuando ya se encontraba Jesús cerca de Jericó, un ciego que estaba sentado junto al cami-
no pidiendo limosna, 36 al oír que pasaba mucha gente, preguntó qué sucedía. 37 Le dijeron
que Jesús de Nazaret pasaba por allí, 38 y él gritó:

–¡Jesús, Hijo de David, ten compasión de mí!

39 Los que iban delante lo reprendían para que se callara, pero él gritaba más todavía:

–¡Hijo de David, ten compasión de mí!

40 Jesús se detuvo y mandó que se lo trajeran. Cuando lo tuvo cerca, le preguntó:

41 –¿Qué quieres que haga por ti?

El ciego contestó:

–Señor, quiero recobrar la vista.

42 Jesús le dijo:

–¡Recóbrala! Por tu fe has sido sanado.

43 En aquel mismo momento el ciego recobró la vista, y siguió a Jesús alabando a Dios. Y
toda la gente que vio esto, también alababa a Dios.

DÍA 3: JESÚS Y ZAQUEO

Lucas 19:1-10

Jesús entró en Jericó y comenzó a atravesar la ciudad. 2 Vivía allí un hombre rico llamado
Zaqueo, jefe de los que cobraban impuestos para Roma. 3 Éste quería conocer a Jesús, pero
no conseguía verlo porque había mucha gente y Zaqueo era pequeño de estatura. 4 Por eso

corrió adelante y, para alcanzar a verlo, se subió a un árbol cerca de donde Jesús tenía que
pasar. 5 Cuando Jesús pasaba por allí, miró hacia arriba y le dijo:

–Zaqueo, baja en seguida, porque hoy tengo que quedarme en tu casa.

6 Zaqueo bajó aprisa, y con gusto recibió a Jesús. 7 Al ver esto, todos comenzaron a criticar
a Jesús, diciendo que había ido a quedarse en la casa de un pecador. 8 Zaqueo se levantó
entonces y le dijo al Señor:

–Mira, Señor, voy a dar a los pobres la mitad de todo lo que tengo; y si le he robado algo a alguien, le devolveré cuatro veces más.

9 Jesús le dijo:

–Hoy ha llegado la salvación a esta casa, porque este hombre también es descendiente de
Abraham. 10 Pues el Hijo del hombre ha venido a buscar y salvar lo que se había perdido.

DÍA 4: JESÚS EN CASA DE MARÍA Y MARTA

Lucas 10:38-42

38 Jesús siguió su camino y llegó a una aldea, donde una mujer llamada Marta lo hospedó. 39
Marta tenía una hermana llamada María, la cual se sentó a los pies de Jesús para escuchar lo
que él decía. 40 Pero Marta, que estaba atareada con sus muchos quehaceres, se acercó a
Jesús y le dijo:

—Señor, ¿no te preocupa nada que mi hermana me deje sola con todo el trabajo? Dile que me ayude.

41 Pero Jesús le contestó:

—Marta, Marta, estás preocupada y te inquietas por demasiadas cosas, 42 pero sólo una cosa
es necesaria. María ha escogido la mejor parte, y nadie se la va a quitar.

DÍA 5: PABLO Y SILAS CON EL CARCELERO DE FILIPOS

Hechos 16:16-34

16 Sucedió una vez, cuando íbamos al lugar de oración, que encontramos a una muchacha
poseída por un espíritu de adivinación. Era una esclava que, adivinando, daba a ganar mucho
dinero a sus amos. 17 Esta muchacha comenzó a seguirnos a Pablo y a nosotros, gritando:

–¡Estos hombres son servidores del Dios altísimo, y les anuncian a ustedes el camino de salvación!

18 Esto hizo durante muchos días, hasta que Pablo, ya molesto, terminó por volverse y decirle al espíritu que la poseía:

–En el nombre de Jesucristo, te ordeno que salgas de ella.

En aquel mismo momento el espíritu la dejó.

19 Pero cuando los amos de la muchacha vieron que ya no tenían más esperanza de ganar
dinero por medio de ella, agarraron a Pablo y a Silas y los llevaron ante las autoridades, a la
plaza principal. 20 Los presentaron a los jueces, diciendo:

–Estos judíos están alborotando nuestra ciudad, 21 y enseñan costumbres que nosotros no
podemos admitir ni practicar, porque somos romanos.

22 Entonces la gente se levantó contra ellos, y los jueces ordenaron que les quitaran la ropa
y los azotaran con varas. 23 Después de haberlos azotado mucho, los metieron en la cárcel,
y ordenaron al carcelero que los vigilara con el mayor cuidado. 24 Al recibir esta orden, el
carcelero los metió en el lugar más profundo de la cárcel y los dejó con los pies sujetos en el
cepo.

25 Pero a eso de la medianoche, mientras Pablo y Silas oraban y cantaban himnos a Dios, y
los otros presos estaban escuchando, 26 vino de repente un temblor tan fuerte que sacudió
los cimientos de la cárcel. En el mismo momento se abrieron todas las puertas, y a todos los
presos se les soltaron las cadenas. 27 Cuando el carcelero despertó y vio que las puertas de
la cárcel estaban abiertas, sacó su espada para matarse, pues pensaba que los presos se ha-
bían escapado. 28 Pero Pablo le gritó:

–¡No te hagas ningún daño, que todos estamos aquí!

29 Entonces el carcelero pidió una luz, entró corriendo y, temblando de miedo, se echó a los
pies de Pablo y de Silas. 30 Luego los sacó y les preguntó:

–Señores, ¿qué debo hacer para salvarme?

31 Ellos contestaron:

–Cree en el Señor Jesús, y obtendrás la salvación tú y tu familia.

32 Y les hablaron del mensaje del Señor a él y a todos los que estaban en su casa. 33 A esa
misma hora de la noche, el carcelero les lavó las heridas, y luego él y toda su familia fueron
bautizados. 34 Los llevó después a su casa y les dio de comer, y él y su familia estaban muy
contentos por haber creído en Dios.

LECCIÓN 1

JESÚS BENDICE A TODOS. A MÍ TAMBIÉN

Enseñanza: Dios quiere que todos recibamos su bendición.

Historia: Jesús bendice a los niños.

Base bíblica: Lucas 18:15-17 (Mateo 19:13-15, Marcos 10:13-16).

INTERPRETACIÓN

La historia de Jesús es asombrosa en cada uno de sus detalles, desde el anuncio de su nacimiento por medio de un ángel hasta su ascensión a los cielos, queda más que claro que no se trata de un ser humano más. Jesús es el Hijo de Dios, su identidad divina queda a la vista en cada una de sus acciones y palabras. Hasta en sus lágrimas y compasión por las personas se revela el profundo amor del Dios que crea, pero que también busca y salva. Sin lugar a dudas, Jesús es Dios. Todo lo que aprendemos de su vida apunta a este hecho ineludible. Nos podemos preguntar, ¿por qué el Hijo único de Dios vino al mundo?, ¿por qué se hizo igual a nosotros en todo? La respuesta, aunque pueda parecer simple, nos obliga a decir: para estar cerca de nosotros, pero ¿Dios no está cerca de nosotros siempre? Así es, sin embargo, nosotros por causa de nuestro pecado, que se muestra en debilidad y desconfianza, necesitamos tener la seguridad de verlo, palparlo, oírlo, y dialogar con él. Esto es lo que hace Jesús cuando leemos su historia, que en realidad es mucho más que eso, pues su historia es una palabra viva que quita el velo de la incredulidad e invita constantemente a creer y a confiar en él como el que perdona y salva (ver Juan 20:30-31).

Jesús habla con nosotros, se interesa, escucha, nos pregunta, se sorprende, nos enseña, nos anima, nos confronta, desafía, nos cambia, porque nos perdona y salva para la eternidad. En este diálogo que comienza hoy y que no se detiene porque llega hasta la eternidad, Jesús nos invita. La invitación del Señor Jesús es el principio de este diálogo, ¿acaso no corresponde que él dé el primer paso para iniciar la charla con todos nosotros? En nuestro primer pasaje bíblico Jesús hace una invitación que abarca a todo la humanidad. Observamos una escena en la que Jesús recibe a niños que sus padres traían para conocerlo y recibir una bendición de sus manos (Marcos 10:16). Aquí aparece un conflicto con los discípulos que hacen un esfuerzo por impedir a los padres que acerquen sus hijos a Jesús. El motivo por el que tomaron esta iniciativa es ajeno al mismo Señor Jesús. En ningún momento les había pedido que lo hicieran, sin embargo por propia decisión empezaron a cerrar el paso a padres y niños. Ellos habrán pensado que el Hijo de Dios no debía ser molestado o distraído con niños y bebés, ya que tenía asuntos más importantes para tratar. Pero al tomar esta postura de querer regular el acceso de todas las personas a Jesús, ellos mismos se colocan en un rol similar al de los fariseos (a quienes Jesús mismo acusó de negarle a la gente la entrada al reino por causa de las pesadas cargas legalistas que les imponían, ver Lucas 11:52 y Mateo 23:13). Jesús previene a los discípulos de no despreciar a nadie. Por el contrario, los anima a que se vean a sí mismos como niños que buscan y desean sentarse a los pies del Salvador, felices por las bendiciones que él mismo les ofrece, por su amor, en forma de perdón y salvación eterna.

Por eso, no es casualidad que este pasaje bíblico aparezca entre dos secciones (parábola del fariseo y el publicano 18:9-14 y la historia del joven rico 18:18-30) que reflejan dos formas equivocadas de pretender el acceso al reino de Dios. El fariseo de la parábola se exalta a sí mismo, considera que Dios debe darle entrada al reino por su buena conducta. El joven rico también cree que su buena conducta le debe permitir entrar al reino de los cielos, sin embargo su verdadera confianza estaba puesta en sus riquezas materiales, por lo que no está dispuesto a renunciar a ellas.

La verdad es otra. Nadie puede entrar al reino de Dios si el mismo Señor Jesús no lo llama e invita (Juan 14:6). Todos necesitamos a Jesús como Salvador, pues todos somos pecadores, aun el más pequeño (Salmo 51:5, Romanos 3:23). Por eso Jesús también da su bendición a cada uno de los hijos de Dios, sean grandes o pequeños. El camino opuesto del merecimiento, es el camino de la fe que cree y espera en cada una de las promesas del Salvador. Jesús bendice con sus manos a los niños (Marcos 10:16). Son las mismas manos benditas que dieron vista al ciego, que calmaron la tormenta, que partieron el pan, que fueron clavadas a la cruz y que palpó Tomás para comprobar las marcas de su pasión, muerte, y resurrección para bendición eterna. Los que movidos por el Espíritu Santo se vienen a él como niños, sin nada que ofrecer ni especular sobre sus propias obras, sino en humildad y dependencia del que los invita, son parte del reino de los cielos. Ésta es la obra de Jesús que trae el fruto de la fe.

Aplicación

Entrar al reino de Dios es obra del Salvador Jesús que por su invitación nos hace parte de su iglesia y familia (Juan 15:16). Para él no hay diferencias, valen tanto niños como adultos (Hechos 10:34-35). Por eso también llama nuestra atención para que no despreciemos a nadie. También nos exhorta para que no pensemos que ya habrá tiempo para llevar los niños a la iglesia, enseñarles a orar o estudiar la Biblia. Nunca es demasiado temprano ni tarde para oír el mensaje de Jesús, su evangelio es para todos y el tiempo es hoy (2 Corintios 6:2). Tampoco debemos pensar que no vale la pena ocuparnos de ellos por considerarlos menos valiosos o insignificantes. Al contrario, cada hijo de Dios debe estar atento para no ser piedra de tropiezo para otros, ya sea por lo que hagamos o dejemos de hacer (Mateo 18:10, 14 y 25:40).

Al mismo tiempo, Jesús nos enseña que seamos útiles y activos instrumentos en manos de Dios, respondiendo a su llamado para traer a nuestros niños a su presencia (ver 2 Timoteo 1:5). No hay edad para oír las buenas noticias de la salvación. El evangelio es poder de Dios para salvación de todos (Romanos 1:16). Por lo tanto todos necesitan oírlo, ésa es la única forma en que el Espíritu Santo obrará el don de la fe (Romanos 10:17). La invitación del Salvador es que seamos como niños, en tanto que humildes, dependientes, inquietos y ávidos para oír, aprender y seguir a nuestro Señor, dejando de lado las ironías, excusas o corazones divididos por intereses u ocupaciones que nos alejen de él (ver Mateo 6:33 y 13:22).

LECCIÓN 1 NIVEL 1

¿Qué necesito?

- Lámina para esta lección. (Jesús y los niños).
- Cartón o cartulina como para cubrir una puerta.
- Cinta adhesiva.
- Letras de reproducibles (pp 120-121) para formar el pasaje bíblico. La cantidad y las letras necesarias para formar el pasaje bíblico son: A, 2; C, 3; D, 4; E, 13; H, 1; I, 6; J, 2; L, 3; N, 3; O, 6; Q, 3; R, 2; S, 6; U, 5; V, 2; Y, 1.
- Globos de carnaval (cuatro o cinco por cada participante).
- Agua, cantidad necesaria.
- Servilletas de papel.
- Témperas de colores (cinco colores: amarillo, verde, rojo, celeste, y naranja).
- Cinco Jeringas descartables, una para cada color (alternativo).
- Recipientes plásticos para preparar témpera con agua.
- Recipientes plásticos para contener los globos, una vez rellenos.
- Dos papel afiche color blanco.
- Cola vinílica.
- Nylon o lona grande para proteger el piso.
- Lápices de color, papel dorado o amarillo y cola vinílica para decorar la trompeta de la lección del alumno.

Dinámica

Nota: Antes de la clase, prepare el lugar donde se llevará a cabo la misma. Si la clase se desarrolla en un espacio cerrado, con puerta o una única entrada deberá colocar en ella un cartón o cartulina de gran tamaño, que cierre esa entrada. El cartón o cartulina tendrá un pequeño hueco de tamaño tal que quepa un niño pasando en cuadrupedia, 60 cm x 40 cm aproximadamente. Previo a colocar el cartón solicite la ayuda de un adulto que permanecerá dentro del salón conteniendo a los niños que vayan ingresando.

Para comenzar la clase convoque al grupo de niños frente al ingreso al salón y pregunte: ¿Pueden ustedes entrar al salón? Seguramente ellos dirán que sí. Indique entonces que comiencen a pasar de a uno por vez. Cada niño lo hará a su manera, en cuadrupedia, arrastrándose, o de otra manera. Una vez que cada niño haya pasado usted intentará pasar, pida ayuda a los niños, tal vez la situación se torne graciosa. Finalmente después de unos minutos de intentarlo "dese por vencido", despegue uno de los bordes pagados del cartón o cartulina e ingrese al salón.

Una vez dentro del salón, reúna nuevamente a los niños y converse con ellos. Realice las siguientes preguntas:

¿Fue fácil o difícil entrar al salón para ustedes? ¿Y para mí? ¿Fue fácil o difícil? ¿Por qué ustedes pudieron entrar? ¿Por qué yo no pude entrar? ¿Por qué ustedes tienen ese tamaño?

Las respuestas posibles serán:

Fue fácil pasar para nosotros. Para ti fue difícil. Nosotros pudimos entrar porque somos chicos. Tú no pudiste entrar porque eres grande. Porque somos niños.

Lección bíblica

(La historia bíblica en que se basa esta lección tiene una lectura sencilla. Puede leerla directamente de la Biblia o utilizar la narración parafraseada que le brindamos a continuación).

Tome su Biblia y ábrala en Lucas 18:15-17, diga a su grupo de niños que usted quiere contarles una historia que está escrita en la Biblia (señalándola). Comparta: Hubo un tiempo en que llegó al mundo el Hijo de Dios mismo. Su nombre era Jesús. Jesús traía buenas noticias para todos. En los tiempos en que Jesús predicaba se hizo muy conocido, las personas quería acercarse para saludarlo y pedirle que se quedara, que nunca se fuera. Un día, mientras Jesús descansaba, varias personas comenzaron a acercarse para que los saludara y bendijera, llegaban abuelos, hombres, mujeres, y algunos llegaban con niños. Los niños se acercaban a Jesús porque también querían ser bendecidos y acariciados por él. Pero en ese lugar había unos amigos de Jesús que no querían que Jesús fuera molestado, entonces comenzaron a pedir que se llevaran a los niños, que se alejaran.

Cuando Jesús vio lo que pasaba habló con sus amigos y les dijo que él traía buenas noticias para todos.

¿Saben cuáles son las buenas noticias? Las buenas noticias son que Jesús nos ama a todos y quiere bendecirnos a todos. Él trae paz para nuestro corazón. Él quiere que sepamos que no nos deja solos nunca, aunque no podamos verlo. Cuando reconocemos que Jesús es el Hijo de Dios, Dios nos hace sus amigos para siempre. Y ésa es una gran noticia.

Realice con su grupo una oración.

Oración:

Querido Padre Dios, te damos gracias por tu amor para con nosotros. Te damos gracias porque enviaste a Jesús con buenas noticias para todos. Ayúdanos a entender estas buenas noticias, ayúdanos a amarte siempre. En el nombre de Jesús oramos diciendo: Amén.

A continuación proponga a sus niños dejar escritas las buenas noticias para que todos las conozcan.

Con anticipación a la clase usted debe unir con cola vinílica los dos papeles afiche entre sí, para obtener un gran cartel.

Prepare en diferentes recipientes plásticos témpera con gran cantidad de agua. Una vez preparada la mezcla, absorba con la jeringa descartable la mezcla de color y rellene los globos de carnaval. Ate los globos y manténgalos en un recipiente plástico con un poco de agua, para evitar el roce entre ellos. Alternativa para esta dinámica: Si no cuenta con globos y/o jeringas, prepare cada color de témpera en un recipiente y permita que los niños pinten mojando sus manos directamente en los recipientes. Cada vez que los niños quieran cambiar de color deberán limpiarse las manos.

Coloque el "gran cartel" en el suelo, sobre el nylon protector. Los niños tomarán, cada uno un globo por vez y lo lanzarán contra el papel afiche, lo que dejará "manchas" de color. Repita esta acción con los niños, hasta que se acaben los globos.

Seguidamente pegue, junto a los niños, sobre las "manchas" las letras que conforman el pasaje bíblico elegido para esta lección: Cualquiera que reconoce que Jesús es el Hijo de Dios, vive en Dios y Dios en él. 1 Juan 4:15.

En tanto preparan el cartel repita junto a sus niños el pasaje bíblico elegido para memorizar. Exhiba el cartel en un lugar visible.

Versículo para memorizar:

Cualquiera que reconoce que Jesús es el Hijo de Dios, vive en Dios y Dios en él. ***1 Juan 4:15***

Continúen con las hojas del alumno.

LECCIÓN 1 NIVEL 2

¿Qué necesito?

- Lámina para esta lección. (Jesús y los niños).
- Cartón o cartulina para tapar una puerta.
- Cinta adhesiva.
- Cúter.
- Letras del ABC de reproducibles (pp 120-121).
- Dos papeles afiche color blanco.
- Cola vinílica.
- Trozos de papeles afiche de colores.
- Tijeras (una por participante).
- Lápices negros (uno por participante).
- Pizarrón o papel afiche.

Dinámica

Antes del comienzo de la clase cale sobre el cartón unas "puertas", serán cuatro en total y compartirán el costado que servirá como bisagra (vea ejemplo en reproducibles, pp 106-107). Las medidas para los espacios serán:

1,50 m x 70 cm

1,20 m x 60 cm

1 m x 50 cm

60 cm x 40 cm

Coloque en la puerta de entrada al salón el cartón o cartulina que bloquee el paso.

A continuación abra el paso de menor tamaño y solicite a los participantes que pasen al salón, es probable que sean pocos los que puedan entrar, entonces abra el espacio mayor que está a continuación. Y así sucesivamente, hasta que usted también pueda pasar.

Reflexione unos instantes cómo la puerta se fue adaptando al tamaño de aquellos que querían entrar.

Lección bíblica

Invite a realizar la lectura bíblica del pasaje de Lucas 18:15-17. La lectura es corta, puede hacerse al menos tres veces, para asegurar que se recuerden los detalles.

Una vez realizada la lectura solicite a los participantes que cuenten con sus palabras la historia leída en la Biblia.

Pregunte: ¿Por qué piensan ustedes que Jesús habló de ser como niños?

Comparta con su grupo de alumnos que Jesús es el Hijo de Dios. Dios nos creó para que estemos cerca de él. El pecado nos separó de Dios y de su amor. Jesús vino al mundo para que estemos cerca de Dios nuevamente. Jesús sufrió y murió en una cruz para pagar por el pecado que nos separaba de Dios. Cuando resucitó, nos hizo hijos de Dios. Ahora podemos confiar totalmente en la promesa de que Dios, por medio de Jesús, estará siempre con nosotros.

Dios nos ama, y tenemos un lugar junto a él cuando creemos en Jesús como nuestro Salvador. Jesús es la puerta que se abre para que entremos en el reino de Dios.

Pidamos a Dios que nos ayude a creer en su promesa con una oración.

Oración.

Padre Dios, te damos gracias por tu amor inmenso. Te damos gracias por la promesa que nos das en Cristo Jesús. Ayúdanos a creer en Jesús confiadamente, sin dudar. Quédate con nosotros siempre. Amén.

Sugiera a continuación, preparar un cartel con un pasaje bíblico que nos recuerda la promesa de Dios. Para hacerlo pegue con anticipación a la clase los dos papeles afiche color blanco. Si dispone de una mesa de trabajo coloque, en medio, las letras del ABC, los trozos de papel afiche de color, los lápices, las tijeras y la cola vinílica.

Escriba en el pizarrón el pasaje bíblico que mostraremos en el cartel: "Cualquiera que reconoce que Jesús es el Hijo de Dios, vive en Dios y Dios en él." 1 Juan 4:15.

Para armar el cartel los niños usarán las letras del ABC como molde, marcaran la letra sobre un trozo de papel afiche elegido y la cortarán por su forma. Asigne a cada participante una letra del pasaje bíblico, para que no haya superposiciones.

Mientras realizan el cartel repetirá junto a sus niños el pasaje bíblico para memorizar.

Pegar las letras sobre los afiches blancos y exponer en lugar visible.

Versículo para memorizar:

Cualquiera que reconoce que Jesús es el Hijo de Dios, vive en Dios y Dios en él. ***1 Juan 4:15***

Continúen con las hojas del alumno.

Respuesta para lección del alumno: La cantidad de niños que deben encontrarse son 12.

LECCIÓN 1 NIVEL 3

¿Qué necesito?

- Elementos para un juego, como por ejemplo: pala de jardín, tijeras, automóvil de juguete, camisa de adulto, un par de medias de niño, pañal de niño, llave de automóvil, bicicleta de adultos, esmalte de uñas, crayones, encendedor o fósforos, pelota de playa, un globo, cuchillo, abre latas, libro infantil, máquina de afeitar descartable, máscara de pestañas, esponja de baño con forma infantil, una muñeca, entre otros. Reproducibles, pp 108-111.
- Dos carteles confeccionados por el maestro. Uno que diga: ADULTOS y el otro: NIÑOS.
- Cartel con la cara de Jesús (reproducibles, p 119).
- Dos papel afiche color blanco.
- Cola vinílica.
- Globos pequeños, tipo carnaval.
- Témperas de colores (al menos, cinco: amarillo, verde, rojo, celeste, naranja).
- Las letras del ABC de reproducibles (pp 120-121) necesarias para formar el pasaje bíblico (al fotocopiar amplíe el tamaño de cada una de las letras). La cantidad y las letras necesarias para formar el pasaje bíblico son: A, 2; C, 3; D, 4; E, 13; H, 1; I, 6; J, 2; L, 3; N, 3; O, 6; Q, 3; R, 2; S, 6; U, 5; V, 2; Y, 1.
- Servilletas de papel.
- Recipientes o bandejas plásticas para preparar témpera.
- Fibras de color para la lección del alumno.

Dinámica

Separe a los participantes de su grupo en dos equipos. Un equipo será: ADULTOS, y el otro será: NIÑOS. A la vista de los participantes coloque aleatoriamente los elementos pensados para el juego. A una distancia prudente, de los elementos, ubique los carteles: ADULTOS / NIÑOS, que estarán también, separados entre sí.

A continuación dará la siguiente consigna: Delante de ustedes hay varios elementos, cada equipo deberá buscar los que le correspondan, según los use un adulto o un niño. Hay alguños que pueden presentar dudas. Una vez finalizado el juego analizaremos si está ubicado en el equipo que corresponde.

El juego termina cuando los equipos hayan ubicado todos los elementos. Cuando los equipos den por finalizado el juego, usted se mostrará confundido, pedirá disculpas por haber olvidado un elemento. Mostrará entonces el dibujo del rostro de Jesús.

Pregunte a los presentes si reconocen ese rostro cuando sepan quién es, pregunte: ¿A qué equipo pertenece este elemento? Es probable que digan que es para los dos equipos. Felicite al equipo ganador y prosiga.

Lección bíblica

Reúna nuevamente al grupo e invite a la lectura de Lucas 18:15-17. Este pasaje es muy breve, así que puede leerse dos o tres veces, para un mejor entendimiento.

Realice las siguientes preguntas: ¿Cómo comienza nuestra historia? ¿Qué pasó con los discípulos, los amigos de Jesús? ¿Qué respondió Jesús cuando vio lo que pasaba?

Ahora pensemos: ¿Qué características tienen los niños? ¿En qué nos diferenciamos de los niños?*

*Señale que algunas de las características de los niños, además de las que seguramente han marcado (estatura, tamaño, conocimientos) es que los niños son confiados; cuando se enojan, olvidan, en general con facilidad; creen en aquel que les hace una promesa, casi sin cuestionar.

Es probable que alguien dijera que son inocentes. Recuerde que todos somos pecadores, también los niños, pues el pecado está con nosotros desde el nacimiento, al igual que otras características del ser humano. Los niños nacen en pecado.

Comparta con los presentes, después de la lectura, que Jesús es el Hijo de Dios. Él ha venido al mundo porque nuestra relación con Dios estaba interrumpida por el pecado y el pecado se paga con la muerte. Jesús vino al mundo para traer buenas noticias: Cuando nos arrepentimos de nuestros pecados y creemos en Jesús, tenemos vida eterna. Junto con esa buena noticia, Jesús también nos promete que estará con nosotros siempre en esta vida.

¿Qué características quiere Jesús, entonces, que imitemos de los niños? Precisamente Jesús dice que seamos como niños para creer, confiar, y esperar pacientes la promesa.

Entonces confiemos ciegamente en la promesa que nos trae Jesús.

Pidamos a Dios en oración que nos ayude a creer como si fuéramos niños pequeños.

Oración:

Señor Dios, nuestro Padre, venimos a ti dándote gracias por nuestras vidas. Durante mucho tiempo no supimos de ti. Ahora conocemos la promesa de vida

que nos traes por medio de tu Hijo Jesús. Te pedimos que nos hagas como niños para creerla con todas nuestras fuerzas. Pedimos esto en nombre de Jesucristo. Amén.

Seguidamente proponga confeccionar un cartel con un mensaje para recordar. Pegue con cola vinílica los dos papeles afiche para lograr un gran cartel, infle con aire los globos, prepare, en los recipientes témpera de color, que no quede muy diluida. Coloque las letras fotocopiadas, los recipientes con témpera, las servilletas de papel en medio de los participantes (cuánto mejor si es en una mesa). Pintar las letras utilizando los globitos a modo de pinceles. Para decorar cada letra pueden usarse varios colores.

Durante la confección del cartel es un buen momento para recitar el pasaje bíblico a memorizar.

Una vez decoradas las letras, dejar secar unos instantes y pegar sobre el cartel formando el pasaje bíblico.

Versículo para memorizar:

Cualquiera que reconoce que Jesús es el Hijo de Dios, vive en Dios y Dios en él. ***1 Juan 4:15***

Continúen con las hojas del alumno.

Respuestas para la actividad del alumno: En la actividad 2 de los alumnos hay algunas palabras que son sólo para distraer en la realización de la actividad, las mismas son: SIERVO – OJOS – AÑOS – TRAIDOR – HIJO – OÍDOS – MENTIRA – ORAR – NUNCA.

LECCIÓN 2

JESÚS ME LLAMA A SU PRESENCIA

Enseñanza: Dios está atento a nuestras necesidades.

Historia: Jesús da la vista a un ciego.

Base bíblica: Lucas 18:35-43.

INTERPRETACIÓN

Cada vez que Jesús nos habla suceden hechos asombrosos. Las palabras de Jesús tienen el poder bendito de hacer milagros. Es una palabra que invita, pregunta, ayuda, y sana. Éste es el caso de la curación del ciego y mendigo de Jericó. Sus necesidades eran muchas, siendo mendigo dependía de la compasión y generosidad de los muchos viajeros que pasaban a diario por el camino de Jericó. Por su ceguera estaba limitado a vivir de la limosna de los demás. Pero también su discapacidad lo había empujado al borde de la sociedad, discriminado y despreciado por sus limitaciones, además debía cargar con el prejuicio y la creencia común que su situación o desgracia se debía a un pecado oculto, por el cual Dios mismo lo había castigado (ver Juan 9:1-2 y Lucas 13:1-9). Sin lugar a dudas, la corrupción que el pecado trae al mundo afecta todo lo que Dios ha creado, de tal forma que ahora la muerte es parte de nuestra realidad, así como la enfermedad, malas acciones, mentira, egoísmo, soberbia, locura, etc. (Romanos 6:23, Salmo 85:8). De la misma forma, comprendemos que frente a la realidad del pecado, Dios nos ofrece una respuesta clara e inconfundible para ser librados de las consecuencias letales del pecado y disfrutar de la paz que Jesús nos da.

Éste es el camino que transita el ciego de Jericó. Al enterarse que Jesús pasaba por el camino donde acostumbraba pedir limosna, comienza a gritar para que lo ayude. En su grito, encontramos la oración suplicante de un creyente que reconoce y confiesa que Jesús es el Hijo de Dios. La forma en que el ciego pide ayuda revela lo que cree: Jesús, es el hijo de David. Éste es un título mesiánico, es decir, que el Salvador prometido desde la caída en pecado, sería un descendiente, según su naturaleza humana, de la familia del rey David. El mismo David recibió esta promesa (2 Samuel 7:14-16, Salmo 132:11, Isaías 9:7; 11:1-4), que uno de sus descendientes ocuparía el reino de Israel para siempre. Esta promesa fue interpretada por muchos en un sentido literal y material, por lo tanto sus expectativas se centraban en la aparición de un gran hombre, fuerte y poderoso que reuniría un ejército para recuperar la independencia del territorio de Israel y restablecer la gloria pasada del reino davídico. Sin embargo, la promesa del envío de un Salvador tenía el propósito de poner fin a la verdadera esclavitud del ser humano que es el pecado. Jesús es el cumplimiento de la promesa, el gran hijo de David, ante quien ahora el ciego implora compasión.

El pedido de compasión o misericordia se arraiga en las profecías de Isaías, quien había anticipado que una de las señales que acompañarían al Mesías era precisamente traer paz, libertad, y salud; particularmente darle la vista a los ciegos (Isaías 35:5, 42:7, 61:1-2). Aun frente a los obstáculos que pudo enfrentar en su camino hacia Jesús, el ciego clama con mayor fuerza implorando que Jesús contemple su necesidad y sea propicio a ella (este mismo ruego se observa en Lucas 16:24 y 17:13). En esta oración el hombre confiesa su fe, que se sobrepone a la oposición y llega a la presencia del Redentor confiando en su palabra poderosa.

Cuando Jesús pregunta "¿Qué quieres que haga por ti?", no lo hace porque desconoce su necesidad, sino porque invita al ciego a manifestar su fe en forma de confesión, para que aquello que está en su corazón llegue a oídos de todos (Romanos 10:10). Así es como Jesús le da la oportunidad a este hombre, que siendo despreciado por todos, ahora revela al mundo que Jesús es Señor (ver Filipenses 2:11) cuando dice: "Señor, quiero recobrar la vista." Así, Jesús concede el pedido y la luz llega a los ojos del ciego, que ahora puede ver. Su vista le permite contemplar el mundo físico, pero mucho antes la fe le permitió ver al Redentor llegando por el camino para traerle el cumplimiento de la profecía: ahora es libre de la oscuridad del pecado, iluminado con los dones benditos de Jesús, el Hijo prometido de Dios. Es natural que este hombre se sume a la multitud que acompaña a Jesús hasta Jerusalén. Él es un discípulo más, un hijo redimido que con su boca alaba al único Dios y glorifica las obras maravillosas que hace por todos nosotros.

Aplicación

Jesús es el Salvador prometido desde el principio. En el momento en que Adán y Eva cayeron en pecado, Dios mostró su compasión dándoles la promesa de un Mesías que los liberaría de las ataduras del pecado. Jesús es el cumplimiento de esta promesa y cada una de sus acciones nos enseña sobre la forma en que esa promesa se cumple en los que creen y confían en él. Por su Palabra, Jesús nos llama a su presencia para que en oración suplicante presentemos nuestras necesidades. Él nos promete que todo lo que pidamos en su nombre, será dado (Juan 15:7). Como hijos de Dios imploramos que tenga compasión de nosotros, pues es esta mirada de amor y cuidado sobre cada uno de nosotros la que nos ayuda y consuela en medio de la necesidad. Ya sea en la enfermedad, pobreza, crisis familiar, peleas o divisiones, allí mismo Jesús está presente para darnos consuelo y cuidarnos, recordándonos que su obra perfecta en la cruz nos da perdón. Él nos llama a su presencia para que con humildad y confianza le pidamos, sabiendo que sólo de él vendrá la respuesta justa y bendita para nuestras vidas.

LECCIÓN 2 NIVEL 1

¿Qué necesito?

- Lámina para esta lección. (Jesús y el ciego).
- Imagen para la dinámica (reproducibles, p 111).

Dinámica

Mostrarles a los niños la imagen de un niño lastimado y con ganas de llorar, luego preguntar: ¿Qué le pasó a este niño? ¿Se han lastimado ustedes alguna vez? ¿A quién llamaron en ese momento? ¿Los atendieron bien o los regañaron?

Les voy a contar una historia de la Biblia donde un hombre también necesitaba ayuda y precisaba ser sanado. ¿Cómo creen que lo habrá tratado la gente? ¿A quién habrá llamado para que lo sanara?

Lección bíblica

Relate con sus propias palabras la historia de Lucas 18:35-43. Terminado el relato, dialogue con los niños: ¿Qué le pasaba al hombre que se sentaba a la orilla del camino? Estaba ciego. ¿A quién llamó el ciego? A Jesús. ¿Cuál fue la reacción de la gente cuando el ciego pidió a gritos por Jesús? Lo regañaron, lo quisieron hacer callar. Este hombre no podía caminar y seguir a Jesús, tampoco podía trabajar para ganarse su pan o para saciar sus necesidades. Por esta razón, la gente no quería estar con él, y decían que algo malo había hecho y como castigo Dios lo había dejado ciego. ¿Crees que puede ser verdad esto que decía la gente?

Cuando el pecado entró al mundo, toda la naturaleza fue afectada, y nosotros también; desde ahí comenzamos a hacer cosas malas, nos enfermamos, tenemos deseos de no compartir, muchas veces pensamos solamente en nosotros y no en los demás, nos falta amor, maltratamos al otro, mentimos, y así podemos seguir enumerando muchas cosas más de las que nosotros hacemos todos los días.

Es el pecado el que trae como consecuencia todos nuestros dolores y males. Dios es quien nos ama y no quiere que suframos. Él busca el bien para nosotros. Lo demostró con el ciego; cuando todos lo despreciaban, Jesús se preocupó por él y lo sanó. Dios demostró su amor también por nosotros de una manera muy grande; cuando estábamos presos del pecado, él mandó a su Hijo Jesús para que con su muerte en la cruz y su resurrección, podamos ser librados del pecado y podamos obtener otra vez la paz.

¿Cómo te comportas tú frente a una persona con diferentes necesidades? ¿Cómo te tratan a ti cuando sufres alguna necesidad?

Así como el ciego llamó a gritos a Jesús, así espera Dios que lo llamemos en oración, que le contemos todas las tristezas y pecados cometidos, para que él nos perdone y nos sane para que podamos disfrutar nuevamente de la tranquilidad de estar con él. ¿Crees que Dios puede sanarte, traerte paz, libertad, y salud?

Dios nos sana, nos libera del peso del pecado a través de su perdón y nos da calma para que podamos vivir a su lado, para que podamos contarle a todos los que están sufriendo necesidades, que él es el único que puede sanar nuestro corazón angustiado.

Dios nos ha dejado su Palabra en la Biblia para que la escuchemos con atención y lo conozcamos como un Dios tierno que siempre está llamándonos hacia él y que en todo momento nos da lo que necesitamos. Alabémoslo por este amor eterno así como lo hizo el ciego.

Versículo para memorizar:

Señor, óyeme y ten compasión de mí; Señor, ¡ayúdame! ***Salmo 30:10***

Para la memorización de este texto, sugerimos el juego de la silla.

Primeramente, enséñeles el texto a los niños hasta que puedan repetirlo solos.

Si los participantes son 10, tendrá que haber en la ronda 9 sillas (separadas entre sí).

Los niños formarán una ronda dentro de las sillas.

Cuando inicia la música, todos comenzarán a correr en círculo y cuando cese, los niños tratarán de ubicarse en una silla. El que quede parado, recitará el versículo bíblico.

La idea es que todos los niños tengan esta oportunidad. Puede cerrar esta actividad, pidiéndoles a los niños que lo reciten en conjunto.

Oración:

Amado Dios, gracias te damos por estar atento a nuestras necesidades y por ayudarnos por amor. Así como el ciego clamó a ti, también nosotros te llamamos y te pedimos que tengas compasión de nosotros, que nos perdones y nos des nuevamente la paz. En el nombre de Jesús. Amén.

Continúen con las hojas del alumno.

LECCIÓN 2 NIVEL 2

¿Qué necesito?

- Lámina de la lección. (Jesús y el ciego).
- Pañuelos grandes para vendar los ojos.
- Algunas galletitas.
- Biblias.

Dinámica

Se dividirá el grupo en dos. Una mitad de alumnos será el grupo de los ciegos. Se les vendará los ojos en el aula pero antes se les marcará el lugar donde deberán sentarse luego de vendados sus ojos. Una vez sentados en hilera, uno al lado del otro, éstos tratarán de ganarse el pan para comer pidiendo a los que pasan por ahí. Deberán esmerarse y hacerlo como si verdaderamente fueran ciegos.

El otro grupo irá pasando de a uno frente a ellos. Algunos harán caso de los pedidos de los ciegos y les concederán una galletita. Algunos pasarán sin hacer caso a lo que los ciegos piden. Pueden relacionar ambas actitudes con el pedido más enfático de auxilio por parte de los ciegos.

Luego, los grupos harán cambio de roles. En este cambio todos los alumnos podrán reconocer la dificultad de andar a ciegas y a su vez, tener que tratar de sustentarse.

Concluido el juego, se abrirá un momento de diálogo y reflexión a través de las siguientes preguntas:

¿Qué emociones y dificultades experimentaron estando a ciegas?

¿Conocen a una persona ciega? ¿Cómo hace para ganarse el pan de cada día? ¿Cómo hace para salir y volver a su hogar? ¿Cómo hace para cocinarse y comer? ¿Cómo hace para conocer lo que pasa en el mundo?

En la Biblia encontramos una historia que nos cuenta de un ciego que vivía en Jericó y que tenía muchas necesidades. ¿Cómo habrá hecho este ciego para poder vivir?

Lección bíblica

Vamos a leer Lucas 18:35-43.

¿Dónde estaba sentado el ciego de Jericó? ¿Cómo creen que llegó a ese lugar? ¿A quién recurrió para saber lo que ocurría? A la gente que pasaba.

Este ciego dependía de la compasión y generosidad de la gente que pasaba por ese sitio, dependía de la ayuda que ellos podían darle para poder saciar sus necesidades. ¿Qué pasaría con el ciego si la gente no hubiera querido ayudarlo? Por sus condiciones, este hombre no podía enfrentar nada por sí solo, siempre necesitaba de otra persona a su lado. ¿Cómo respondió la gente cuando él pidió por Jesús? Lo hicieron callar y aún más, lo reprendieron también. Esto nos muestra que muchas veces la gente que está bien piensa sólo en sí misma y ve a la gente que tiene alguna discapacidad como una molestia. Este camino, duro y triste, es el que recorría el ciego todos los días. Cuando supo que Jesús pasaba por donde él estaba, sintió esperanza y gritó pidiéndole a Jesús que tuviera compasión de él y lo sanara. ¿Cómo respondió Jesús a su pedio? Lo sanó por su fe.

¿Cuáles son nuestras necesidades? ¿Qué hacemos frente a ellas? ¿Recurrimos a Dios, le suplicamos con fe para que nos ayude? En su Palabra Dios nos llama, nos ofrece en ella una guía y nos deja muchas promesas para todos los que creemos en él como nuestro Señor y Salvador, para que encontremos su ayuda y consuelo. A través de su Palabra, Dios nos invita a ir a él, para que le pidamos en oración por todas nuestras necesidades. Él promete darnos, por amor, todo aquello que necesitamos para esta vida en la tierra. Su mirada de amor y cuidado está sobre nosotros en cada minuto de nuestros días y no sólo en nuestras necesidades materiales, sino también en nuestras necesidades espirituales. Dios mostró su compasión enviando a su Hijo Jesús para consolarnos y darnos paz a través de su perdón. Para que nosotros hoy tengamos este regalo precioso, Jesús vino a derramar su sangre en una cruz, y con su resurrección se mostró vencedor del diablo y del pecado. Jesús cumplió con este sacrificio para que nosotros, confiando en él y en su obra, seamos ayudados, fortalecidos, y consolados. Dios es quien llama para que pidamos con fe por todas nuestras necesidades. ¿Cuál es tu oración?

Versículo para memorizar:

Señor, óyeme y ten compasión de mí; Señor, ¡ayúdame! ***Salmo 30:10***

Para esta actividad de memorización sugerimos el siguiente juego:

Elegir a un niño entre la clase. El resto de los alumnos formarán una ronda sentados en sillas. El niño electo será quien elegirá a un integrante de la ronda y se arrodillará ante él pidiéndole que le narre el versículo bíblico. Utilizará su ingenio; mímicas, cambio de voz, gestos, etc.

tratando de hacer reír al que está sentado. Cuando lo logre, el que sonrió deberá relatar el versículo y luego tomar el lugar del compañero.

Es importante que todos los niños tengan la posibilidad de recitar el versículo. Pueden terminar el juego diciendo el texto de manera conjunta.

Oración:

Eterno Dios, te damos infinitas gracias por mostrar tu compasión por nosotros a través de la muerte de tu Hijo Jesús en la cruz. Gracias por tu Palabra que nos orienta y crea en nosotros la fe. Te pedimos que nos fortalezcas en ella, que confiemos en ti, que frente a los problemas que causan en nosotros las necesidades, recurramos pidiendo tu ayuda confiando en tus promesas. Ayúdanos a luchar contra la tentación del mal. En el nombre de Jesús. Amén.

Continúen con las hojas del alumno.

LECCIÓN 2 NIVEL 3

¿Qué necesito?

- Un voluntario.
- Biblias.

Dinámica

El docente representará una secuencia corta de actividades características de un ciego o le pedirá esta representación a un ayudante.

Secuencias a representar: Usted, o un voluntario, entra al aula usando anteojos oscuros y un bastón en mano. Mantendrá la mirada fija hacia adelante, tanteando el espacio hasta encontrar una silla y ubicarse en ella. Al sentarse, los anteojos se le caerán al suelo, y tratará de encontrarlos por medio de su bastón sin tener éxito. ¿Alguien podrá ayudarme a encontrar mis anteojos? (el ciego pide esta ayuda a los presentes esperando una respuesta activa por parte de los participantes).

Comience el diálogo con los alumnos. Pregunte qué características tenía el personaje representado y cuál fue la razón que los movió a ayudarlo. La Biblia narra varias historias de ciegos. ¿Conocen alguna? ¿Cuál? Permita esta interacción para que los alumnos manifiesten su conocimiento.

Lección bíblica:

Vamos a leer ahora la historia de un ciego en Jericó en Lucas 18:35-43.

¿En qué se relacionan la representación del comienzo con esta historia? En ambas situaciones hay una persona ciega que necesita ayuda.

Las necesidades de este ciego de Jericó eran muchas. Al no ver, tenía que mendigar la compasión de la gente que quisiera ayudarlo. Esta situación de discapacidad no sólo lo empuja a mendigar por sus penurias sino que además, agrega el desprecio de la sociedad, la discriminación y los prejuicios inventados de la gente, creyendo que su ceguera era producto de pecados ocultos y que Dios lo estaba castigando. Ésta era la vida del ciego, cargada de angustias y sufrimientos. ¿Comprendes por qué gritaba por Jesús con tanta euforia? Deseaba ser sanado, recibir un poco de paz y bienestar para su alma afligida. Pero a pesar de estos deseos, tuvo que seguir enfrentando el rechazo de la sociedad aún en ese momento en el que estaba Jesús. La gente lo reprendía, lo quería hacer callar para qué no siguiera molestando.

¿Cuáles son tus dificultades? No ser aceptado en un grupo, no ser reconocido por nuestras habilidades, no aceptarnos como somos, el querer tener todo lo que la sociedad exige y no poseer los recursos para obtenerlos, falta de una vivienda digna, desunión en la familia, amigos que traicionan, carencia de afectos, pobreza, peleas.

No estamos sufriendo necesidades porque Dios está castigándonos, al contrario, Dios nos ama y mandó a su único Hijo para morir en una cruz y así traernos paz, libertad, salud, y la promesa del perdón que nos libera de las ataduras del pecado. Jesús hizo llamar al ciego y lo sanó por su fe. De la misma manera nos llama a nosotros. Dios quiere que estemos frente a él y le supliquemos por todas nuestras necesidades, que imploremos su compasión. Dios quiere atenderlas, devolvernos la paz y el bienestar así como lo hizo con el ciego.

¿Crees que Dios es capaz y que tiene el poder para ayudarte aún en aquellas cosas que consideras imposibles? Él te llama a su Palabra, en ella puedes escuchar su voz que te orienta, te guía, te anima, te consuela, y aumenta tu fe. De esta manera Dios está a tu lado para ayudarte constantemente. Ora y confía sabiendo que de Dios viene tu ayuda.

Versículo para memorizar:

Señor, óyeme y ten compasión de mí; Señor, ¡ayúdame! ***Salmo 30:10***

Para esta actividad de memorización, sugerimos que cada alumno busque a un compañero para formar parejas. Luego deles un momento para que lean el versículo, para que intenten memorizarlo y para pensar en una forma de dramatizarlo al grupo.

Finalmente cada pareja representará y recitará frente al grupo, el versículo bíblico.

Oración:

Señor Dios, te damos gracias porque has mostrado tu compasión por nosotros en la obra de tu Hijo Jesús en la cruz. Gracias porque tu mirada compasiva sigue estando sobre nosotros, gracias por llamarnos a tu presencia y por darnos todo en favor de nuestra vida aquí en la tierra. Tu amor es eterno y nunca cesas de compadecerte por nosotros. Rogamos que nos ilumines con tu Santo Espíritu, que nos guíes a tu Palabra y nos ayudes a comprender tu voluntad. Danos humildad para que te pidamos por todas nuestras necesidades, que siempre tengamos la mirada en ti, como el único capaz de ayudarnos. En el nombre de Jesús. Amén.

Continúen con las hojas del alumno.

LECCIÓN 3

JESÚS ME ACEPTA CUANDO NADIE LO HACE

Enseñanza: Dios busca a los despreciados.

Historia: Jesús y Zaqueo.

Base bíblica: Lucas 19:1-10.

INTERPRETACIÓN

Jericó es el escenario donde Jesús revela a la humanidad el verdadero sentido de su presencia en el mundo. No sólo atendió necesidades tan evidentes como las del ciego mendigo (nadie hubiera dudado a simple vista que él más que nadie necesitaba un milagro de Jesús), sino que también el Salvador era capaz de poner su mirada en aquellos que a lo lejos y con cierta precaución buscaban satisfacer su curiosidad. Así encontramos a Zaqueo en nuestra historia, un hombre rico, de buena posición social, que a la vista de cualquier espectador, no tenía necesidad alguna de Jesús. Quizás el mismo Zaqueo llegó a pensar que no lo necesitaba y por eso subió al árbol simplemente para ver quién era Jesús. Pero aunque Zaqueo pudo pensar así, no era éste el pensamiento del Salvador. Gran sorpresa para todos los que rodeaban a Jesús cuando se detiene frente al árbol y habla con este hombre de baja estatura, a quien llama por su nombre (Jesús sabía muy bien quién era Zaqueo, qué pensaba, qué tenía, y qué necesitaba), para luego invitarse a sí mismo a su casa. Jesús enfatiza que esto era necesario: "Tengo que quedarme en tu casa" (v 5b). Aunque sorprendido, con alegría Zaqueo no dudó en recibir a Jesús como su huésped.

Sin embargo, la voz de los prejuiciosos no se hizo esperar, y aunque la hospitalidad era una obligación y un privilegio que nadie podía esquivar más allá de su posición social, todo el pueblo mostró rechazo a la decisión de Jesús por haber elegido precisamente a una persona pecadora, mejor dicho "muy pecadora" a los ojos de su entorno social. Aquí queda en evidencia la misma naturaleza pecadora de todas las personas porque somos hábiles para etiquetar a otros de acuerdo a nuestra propia medida (Mateo 7:3, Juan 8:7), sin reconocer que hay un solo juez y Dios, ante quien nadie podrá justificarse o mostrarse inocente (Hechos 13:39, Romanos 10:3). Todos descalifican a Zaqueo quien, como jefe de los cobradores de impuesto trabajaba para el Imperio Romano y además amasó su fortuna cobrando demás a sus compatriotas (esto se puede deducir del v 8), por lo que era considerado un traidor del pueblo judío. En pocas palabras, Zaqueo no era popular.

La vida de Zaqueo cambia radicalmente cuando lo encuentra el Salvador. No sabemos cuáles fueron las palabras que habló Jesús con él en su casa, pero sí sabemos que Zaqueo creyó en Jesús. La fe que la Palabra del Salvador formó en su corazón lo llevó a amar a su prójimo de tal forma que dio a los pobres la mitad de su fortuna, y a resarcir a quienes fueron estafados por un cobro excesivo de impuestos. La fe produce frutos (Filipenses 1:11), el regalo del perdón cambia la vida de las personas porque trae confianza (Romanos 5:1). Jesús asegura a todos que su misión es una sola: llegar a nosotros de tal forma que dejando el camino que lleva a la condenación, nos pueda dar la bendita certeza que somos salvos por su muerte en la cruz. Nuestra esperanza está en él, porque él cumple todas sus promesas.

Aplicación

En su paso por Jericó, Jesús realizó grandes obras y sus palabras son para todos nosotros fuente de gran consuelo en medio de las pruebas que vivimos. Todos hemos vivido situaciones de desprecio, discriminación, o burla; quizás nos ha tocado ver cómo otros son rechazados, ignorados o hasta maltratados. En nuestras ocupaciones diarias puede pasar que conscientemente o sin darnos cuenta ponemos etiquetas a nuestros compañeros, vecinos o familiares, formando en nuestras mentes sentimientos de rechazo o burla hacia ellos. Como hijos de Dios debemos estar atentos para no permitir que tales actitudes se transformen en hábitos que consideramos naturales y hasta permitidos o que justificamos. El encuentro de Jesús y Zaqueo nos obliga a ponernos en la piel de Zaqueo, sabiendo que podemos ser despreciados por muchos. Jesús nos llama y busca por su amor y compasión para que comprendamos que nos acepta, recibe y perdona más allá de nuestro pecado. Pero también nos pone en la piel de quienes acusan y miran con desprecio al prójimo. Nuevamente Jesús nos invita a ser humildes y mansos, lentos para juzgar y hábiles para cubrir la falta del hermano, perdonarlo y reconciliarnos, pues éste es el camino de la vida abundante que la fe produce en cada uno de nosotros como hijos de Dios.

LECCIÓN 3 NIVEL 1

¿Qué necesito?

- Lámina de esta lección. (Jesús y Zaqueo).
- Imágenes para la dinámica (reproducibles, pp 112-114).

Dinámica

Se les contará a los niños una historia donde se resalta la discriminación y el rechazo hacia aquél que es diferente a nosotros.

Cuenta una historia que muchos pajaritos, de hermoso plumaje y colores, muy parecidos todos; se posaron sobre un cable del alumbrado público a cotorrear y cantar muy felices.

En un momento se oyó un canto ronco y desentonado al resto de los pájaros. Era otro pájaro; más alto, deforme y desprolijo en su plumaje que se había posado sobre el poste por dónde pasaban los cables y quien los saludaba amistosamente.

El resto de los pajaritos comenzaron a reírse de su apariencia y a burlarse de él, hasta que notaron que el pájaro volaba hacia ellos para posarse sobre el cable. Y así fue, este pájaro diferente se posó en medio de ellos y por su peso, el cable se balanceó hacia abajo y todos se juntaron contra el gran pájaro feo.

Los pequeños pajaritos protestaban y criticaban al intruso que dejó caer su cuerpo hacia abajo pero quedó prendido con sus patas del cable.

Sin pensarlo dos veces, los pajaritos comenzaron a picotear las garras de este compañero diferente quien se soltó cayendo al suelo, pero los pajaritos salieron expulsados al espacio perdiendo sus hermosas plumas, y cuando bajaron nuevamente a tierra, cayeron al lado del pájaro despreciado y feo que ahora se veía más hermoso que los pequeños pajaritos desplumados.

Al reconocer su aspecto corrieron detrás del pájaro grande para refugiarse de su vergüenza debajo de sus alas.

Pregunte: ¿Por qué los pajaritos no querían al más grande?

La Biblia nos cuenta una historia de un hombre que también sufrió el desprecio de la gente. ¿Por qué crees que una persona no quisiera estar con otra?

Luego de que los niños comenten esta pregunta pase a la lección bíblica.

Lección bíblica

Cuente la historia de Lucas 19:1-10.

Jesús iba caminando por Jericó. Allí vivía un hombre bajito llamado Zaqueo. Era muy rico, estaba a cargo de cobrar los impuestos para Roma y la gente no lo quería.

Cuando oyó que venía Jesús quiso verlo pero no podía llegar hasta él por la gran multitud que lo rodeaba. Entonces se subió a un árbol para visualizarlo.

Cuando Jesús lo vio, lo llamó con su voz bondadosa y le dijo: Zaqueo, baja pronto que quiero ir a tu casa hoy. ¿A mi casa? preguntó Zaqueo. Por supuesto, respondió Jesús.

Zaqueo estaba contento de tener a Jesús en su hogar, pero la multitud comenzó a quejarse diciendo que Zaqueo era un hombre malo y que Jesús estaba en la casa de un hombre mentiroso y ladrón.

Zaqueo reconoció que lo que decía la gente era verdad. Se arrepintió de eso y prometió dar la mitad de lo que tenía a los pobres, y al que había engañado le devolvería cuatro veces más.

Jesús estaba contento, hoy es día de buenas noticias, dijo.

¿Por qué crees que la multitud no quería a Zaqueo? Era un hombre malo, en su trabajo de cobrar impuestos le robaba a la gente. Era mentiroso y por eso la gente no lo quería.

Si comparamos a Zaqueo con la historia de los pajaritos y con lo que muchas veces vivimos a diario, además del robo y la mentira, Zaqueo podría haber sido despreciado por ser diferente a los demás en su estatura.

Zaqueo era un hombre rico, sólo le importaba su fortuna y seguir recaudando más, sin importar si para esto tenía que robárselo a la gente. Pero algo sucedió en Zaqueo cuando oyó que Jesús pasaba por ahí, él tuvo curiosidad, deseaba verlo. Y frente a la dificultad de no poder hacerlo por su pequeñez y la gran cantidad que había, se las ingenió y se subió a un árbol para poder verlo.

Zaqueo no esperaba que Jesús tuviera palabras bondadosas para él, ya que nadie lo quería. Pero esta actitud no era la planeada por Jesús quien sí venía con la intención de buscarlo. Jesús conocía lo que había en el corazón de Zaqueo y venía para darle su amor y paz. ¿Cómo lo haría? Después de una charla en la casa, Zaqueo creyó en Jesús y mostró los frutos de esa fe al devolverle cuatro veces más a los que les había robado y en ayudar a los pobres. Jesús, quien vino a esta tierra a sembrar el arrepentimiento y perdón, estaba feliz.

¿Nos identifiquemos con Zaqueo? Puede que estemos sufriendo porque un amigo no nos quiere por ser diferentes a él, que otros se burlen por cómo somos o por cómo hablamos, por cómo caminamos. O puede que otros no quieran estar con nosotros por las cosas malas que les hacemos. Tal vez, seamos nosotros los que estemos mirando y hablando mal de un compañero, que no queramos estar con él por lo que es. ¿Somos maltratados por los demás? ¿Nos burlamos de los demás? Jesús vino a buscar al despreciado y también al que desprecia. Vino a dar su vida en la cruz, para que con su muerte y resurrección tengamos el perdón. Así como Jesús se dirigió a Zaqueo para buscarlo y ofrecerle su perdón, así, él viene para envolvernos en su amor y nos invita a prestar especial atención en no despreciar al otro, a ser pacientes para enfrentar burlas y desprecios, a soportar las diferencias del otro, y a ser humildes; a pedir perdón y a saber perdonar las ofensas. Dios, quien nos ama, nos acepta, nos busca, nos perdona, y siempre está velando por nosotros.

Oración:

Padre celestial, te doy gracias porque tú nos buscas y nos aceptas con amor y perdón. Ayúdanos a no despreciar a los demás con apodos o malos tratos. Danos humildad y fe para perdonar a los que nos ofenden. Ilumínanos con tu Santo Espíritu para que podamos tener una buena relación contigo a través de tu Palabra y una buena relación con las personas que nos rodean. En el nombre de Jesús. Amén.

Versículo para memorizar:

Aunque mi padre y mi madre me abandonen, tú, Señor, te harás cargo de mí. ***Salmo 27:10***

Para esta actividad de memorización sugerimos que los niños realicen una ronda y que luego cada uno se quite una zapatilla y la coloque en el centro del círculo.

Luego repita con ellos varias veces el versículo bíblico tratando de que lo memoricen.

Seguidamente pídale a uno de los niños que elija a un compañero y luego trate de encontrar en el círculo su zapatilla hasta que el resto de los niños cuente hasta 10. Si la encuentra dentro de ese tiempo, el dueño de la zapatilla debe repetir el versículo bíblico. Si no lo logra, él mismo deberá repetirlo. El juego continúa hasta que todos hayan participado y aprendido el versículo muy bien.

Continúen con las hojas del alumno.

LECCIÓN 3 NIVEL 2

¿Qué necesito?

- Lámina para esta lección. (Jesús y Zaqueo).
- Dos naranjas.
- Dos limones.
- Cuchillos (preferentemente de plástico)
- Dos vasos.
- Un exprimidor.
- Azúcar (dos o tres cucharadas).
- Pizarrón o papel afiche.

Dinámica

Lleve a la clase dos naranjas, dos limones, dos vasos, un exprimidor y un poco de azúcar.

Pídales a los niños que corten las naranjas y las expriman. Pondrán el jugo en uno de los vasos y mientras le ponen azúcar y lo revuelven para que se disuelva, otros cortarán los limones y lo exprimirán. Luego lo pondrán en el otro vaso sin agregarle azúcar.

Luego ofrézcales tomar los jugos.

¿Cuál de estos jugos tomarían? ¿Por qué?

En general los niños responderán que tomarían el jugo de naranja por ser dulce y no ácido. Dialogue con ellos qué otras cosas dejarían de lado por unas más agradables y cuáles son los motivos. Luego reflexionen sobre las veces en que nosotros tenemos esta misma actitud con las personas. Cuando no nos gusta algo de ellas, las cambiamos por otras o directamente las dejamos de lado.

¿Recuerdan algún caso donde han despreciado a alguna persona por lo que era? ¿Recuerdan haber vivido una situación de desprecio?

La Biblia cuenta la historia de un hombre a quien nadie quería y solo uno se le acercó para buscarlo.

Lección bíblica

Lean Lucas 19:1-10.

Veamos de quién se trata. ¿Quién era el hombre despreciado en esta historia?

Con sus propias palabras, relate nuevamente esta historia, agregando detalles que sepa sobre Zaqueo y su actividad. Luego, reflexione con los niños: Esta historia nos muestra situaciones en que somos despreciados por diferentes motivos, pero también, ocasiones en que nosotros somos los que despreciamos a los demás. Cuando algo no nos gusta o no nos conviene del otro, lo criticamos, lo dejamos de lado o lo desechamos. Y a veces, también tenemos que enfrentar la actitud que sufrió Jesús; cuando estamos al lado de una persona rechazada por otra, para ayudarlo, también tenemos que cargar la crítica por estar a su lado.

¿Cómo nos enseña Jesús a actuar en estos momentos? Es muy difícil no etiquetar a los demás por lo que vemos de ellos a simple vista. Es difícil integrar o aceptar a personas con cualidades diferentes a las mías o a la del grupo. Rechazamos, ignoramos, maltratamos y viceversa.

Jesús vino con la misión de llamarnos y buscarnos a todos por su amor y compasión, de tal forma que dejemos este camino de pecado que nos lleva a la condenación. Vino a traernos perdón y salvación con su muerte de cruz y su resurrección. Dios nos llama al arrepentimiento para que ya no vivamos en situaciones de desprecio y para que luchemos contra estas tentaciones. Como hijos de Dios también nos deja las herramientas para enfrentar los desprecios, y su amor y la fe nos fortalecen mostrándonos que aunque otros nos abandonen, él estará a nuestro lado siempre. Podremos vivir una relación de aceptación y amor hacia el otro, dando un buen testimonio de su perdón.

Oración:

Amado Señor, te damos gracias porque por tu amor y compasión nos buscaste y aceptaste aun siendo pecadores. Gracias porque el sacrificio de tu Hijo Jesús en la cruz nos limpia de toda maldad. Gracias porque tú nos fortaleces y nos ayudas para enfrentar las tentaciones, con la seguridad de que estás a nuestro lado para ayudarnos a dar un buen testimonio de ti y de tu amor. Fortalécenos cuando nos desprecien y ayúdanos a integrar al que está a nuestro lado y a aceptarlo con sus virtudes y errores. Ayúdame a ser un buen mensajero de tu voluntad y a contagiar con tu amor. En el bendito nombre de Jesús. Amén.

Versículo para memorizar:

Aunque mi padre y mi madre me abandonen, tú, Señor, te harás cargo de mí. ***Salmo 27:10***

Para esta actividad de memorización, que los alumnos busquen en sus Biblias y lean el versículo bíblico, repitiéndolo varias veces para tratar de memorizarlo.

Luego divida la clase en dos equipos. Pida que cada grupo forme una fila en el lado opuesto del pizarrón o afiche. Seguidamente divida el pizarrón o afiche con una línea vertical en el medio. Al dar una señal, el primer alumno de cada fila deberá correr al pizarrón o afiche y escribir la primera palabra del versículo para memorizar. Luego deberá regresar a su fila, tocar el hombro del próximo alumno e irse al final.

Repita este procedimiento hasta que todo el versículo haya sido escrito en el pizarrón o afiche. El grupo que lo escribe primero gana.

Continúen con las hojas del alumno.

Solución a la actividad 2 de la hoja del alumno: Desprecio, Burla, Rechazo, Compañeros, Amor, Perdona, Juzgar, Prójimo, Fe.

LECCIÓN 3 NIVEL 3

¿Qué necesito?

- Diálogo para la dinámica (reproducibles, p 114).
- Cuatro voluntarios de entre los participantes.

Dinámica

Pida a cuatro voluntarios de entre los alumnos que lean el diálogo de los reproducibles.

Luego comentarán sus apreciaciones a través de las siguientes preguntas: ¿Cuál es la situación que observamos en esta historia? ¿Tenía razón Mateo en lo que le planteaba a Yaco? ¿Cómo es tratado Mateo por su actuación? ¿Cómo se sentía finalmente Mateo?

La Biblia nos cuenta la historia de Zaqueo, ¿la han escuchado? En ella podemos notar que Zaqueo también era despreciado y la gente lo dejaba de lado. ¿Cuál era el motivo de este desprecio?

Lección bíblica

En esta historia podemos ver claramente que Jesús vino a buscar y salvar lo que se había perdido. Zaqueo representa al perdido, es el marginado y rechazado por la sociedad quien lo consideraba un ladrón y traidor por cobrar demás en los impuestos. Zaqueo, el jefe de los cobradores de impuestos, trabajaba para el Imperio Romano y amasó una gran fortuna a costa de sus compatriotas. Este cobrador de impuestos, desechado y despreciado, estaba perdido en la avaricia, era víctima del afán de las riquezas y había olvidado las promesas de Dios y su ley. Pero Dios, quien ama al pecador, venía para traerle libre e inmerecida salvación, y llenar su casa de gozo. Zaqueo se arrepintió del mal que había hecho, y creyó en Jesús y en sus promesas de vida.

Zaqueo mostró los frutos de su fe al compartir su fortuna con los pobres y a devolverles cuatro veces más a los que les había robado. La alegría había nacido nuevamente en el hogar de Zaqueo.

El pueblo, sin embargo, se mostró contrario al perdón que Jesús le ofreció y murmuró por este trato de Jesús hacia un malvado pecador. Así como a Zaqueo, Dios también nos da la certeza de que por su muerte en la cruz, todos los que nos arrepentimos tenemos el regalo del perdón que cambia nuestras vidas por la esperanza que solo tenemos en él.

¿Nos ha tocado enfrentar situaciones de rechazo? ¿Cuáles son las obras por las cuales somos despreciados? Como lo vimos en la historieta, el desprecio acarrea angustia. El mostrarnos como hijos de Dios, muchas veces producirá este efecto en nosotros, seremos rechazados y hasta burlados. Nos dejarán de lado por actuar de manera diferente, por juntarnos con personas que por el estatus social son despreciadas. Cuando nadie nos acepta, Dios es quien nos llama a sus brazos. Él nos acepta a pesar de que somos pecadores, para ofrecernos su perdón y paz. También nos invita a no tener actitudes de desprecio hacia los demás, a ser cuidadosos en esto. Dios nos llama a confiar en él en momentos de angustia por ser rechazados, a ser humildes, a recordar el amor que él tiene por nosotros y por los demás para practicarlo a través del perdón.

Oración:

Padre eterno y misericordioso, que aunque somos pecadores no nos desechas, te damos gracias por este amor y perdón, por llamarnos constantemente a tu presencia para ofrecernos tu gracia. Perdónanos las veces que hemos despreciado a otro con palabras u obras. Guíanos con tu Espíritu Santo, para que no desechemos al que nos rodea, ayúdanos a aceptarlo con sus diferencias y a ser un testimonio de tu perdón y compasión. Danos sabiduría para este actuar de paciencia y amor. En el nombre de Jesús, pedimos y agradecemos. Amén.

Versículo para memorizar:

Aunque mi padre y mi madre me abandonen, tú, Señor, te harás cargo de mí. **Salmo 27:10**

Para esta actividad de memorización, que cada alumno busque en su Biblia el texto, lo lea y trate de memorizarlo. Previamente deberá tener escrita cada palabra del texto sobre hojas o cartulinas y las esconderá en el aula o patio del lugar.

Seguidamente de haber leído el texto, los alumnos tendrán que encontrar las tarjetas para luego formar el texto. Finalmente podrán elegirse entre ellos para recitarlo de memoria, tratando de que todos lo logren.

Continúen con las hojas del alumno.

LECCIÓN 4

JESÚS ME CONDUCE A SU PALABRA

Enseñanza: Dios nos enseña que su Palabra es lo más importante.

Historia: Jesús en casa de María y Marta.

Base bíblica: Lucas 10:38-42.

INTERPRETACIÓN

Jesús sigue hablando con todos, en su camino pasa por Betania donde vivían los hermanos Marta, María, y Lázaro (Juan 12:1-3). En este encuentro vemos cómo Marta se preocupa excesivamente por los quehaceres cotidianos. Su intención es brindar lo mejor a su huésped y amigo Jesús. Sin embargo, este momento particular demandaba otra cosa: dejar de lado los preparativos de una comida y hospedaje digno, para sentarse con tranquilidad y humildad a los pies de Jesús y oír sus palabras. Marta es enérgica en su reclamo. Jesús es claro y compasivo en su respuesta: Es necesario poner las prioridades en su lugar. ¿Cuál era el problema de Marta? ¿No quería escuchar a Jesús? Claro que sí quería oírlo, de otra forma no lo hubiera recibido. Pero en la cabeza de Marta había tantas cosas en ese momento que consideraba más importantes, que no tenía tiempo para escuchar a Jesús.

A Marta le ocurrió lo que a todos en general, muchas ocupaciones y poco tiempo: limpiar la casa, después lavar la ropa, hacer las camas, también la comida, los niños, las compras, la escuela, el estudio, el jardín, el auto, el fútbol, los amigos, el cumpleaños, la fiesta, una película, un libro, otro trabajo, y la lista nunca termina.

Jesús no pretende que no seamos ordenados ni responsables en nuestras obligaciones, ni que busquemos progreso o mejor bienestar, pero sí nos pregunta: ¿Cuál es el precio a pagar para lograrlo? Marta tuvo al Salvador mismo sentado en su casa, pero se preocupó más por los quehaceres y la comida. Nadie está libre de olvidarse de su Señor y su Palabra que trae vida y paz por tantas ocupaciones con las que nos cargamos.

Aquí es cuando comprendemos que María se dio cuenta que ante todo vienen Jesús y sus palabras. Por eso el mismo Señor nos recuerda: "Busquen primeramente el reino de Dios y su justicia, y todas estas cosas les serán añadidas" (Mateo 6:33). Si no lo entendemos así, todo lo que hagamos corre el peligro de perder sentido y transformarse en el objetivo final en la vida. Frente a Jesús, todo puede esperar para sentarse a sus pies y oír su santa Palabra. Él vino a dar y a darse, por eso su mensaje no puede esperar, la salvación que trae no puede esperar (Apocalipsis 3:20). Dios no nos pide ir a un monasterio o sólo leer la Biblia todo el día. Lo que desea de nosotros es lo que resaltó de María: elegir con sabiduría para que cuando oigamos la palabra de Dios, seamos capaces de reconocerla y desearla como lo más precioso que alguien pueda darnos, porque se trata de "palabras de vida eterna" (Juan 6:68).

Sabemos entonces que aquella única cosa necesaria (opuesta a tantas preocupaciones que distraen), es la palabra misma de Jesús. Además afirma que María escogió la mejor parte y nadie se la quitará (o también "porque nadie se la quitará"). Marta se preocupaba por cosas que desaparecen. María fue capaz de concentrarse en lo que no se veía y que no desaparece (es el tesoro en el cielo, Mateo 6:20).

Las palabras de Jesús están sostenidas por su obra salvadora en la cruz. Nos damos cuenta que el problema de Marta fue no comprender que Jesús vino a su casa no para ser servido y recibir de su hospitalidad (que no desprecia, por supuesto), sino para servir y entregarse a sí mismo como mensajero y mensaje para la reconciliación de la humanidad con Dios. Cristo viene a nosotros para que recibamos de él, para que nos sentemos a sus pies y sus palabras nos nutran de su amor y que por la fe creamos. Sólo así tendremos lo que es necesario, lo mejor, y que nadie podrá quitarnos.

Aplicación

La actitud de María es la que nos conduce a recibir la cosa que es necesaria. En las palabras: María estaba sentada a los pies del Señor escuchando lo que él decía, se describe una acción tan importante como profunda que nos enseña la actitud del cristiano frente al Señor de modo que tengamos lo que nos ofrece. Es una actitud de adoración, de aprendizaje, de servicio, de humildad, y de expectativa. Como el niño que escucha y espera, porque sabe bien quién le dará lo necesario (Lucas 18:15-18), nos sentamos a sus pies, confiando en su poder y amor, creyendo que sus palabras son para nosotros fuente de vida.

La obra de Cristo permanece un misterio para nosotros que no podemos entender por nuestra propia razón o poder, sino que se nos revela cuando vivimos unidos a lo que él nos dejó como promesas y certezas. Su obra permanece para siempre, así que tanto hace dos milenios como hoy actúa con el mismo poder liberador y transformador en las vidas de todos los que vienen a la fe por la predicación de la Palabra, el Bautismo, y la Santa Comunión. En cada nuevo encuentro su Palabra nos alimenta porque es pan de vida; nos ilumina porque es luz en la oscuridad; y nos fortalece porque es guía en la debilidad y paz para el alma.

LECCIÓN 4 NIVEL 1

¿Qué necesito?

- Lámina para esta lección. (Jesús en casa de María y Marta).
- Imágenes para la dinámica (reproducibles, pp 115-116).

Dinámica

Pídales a los niños que comenten la siguiente pregunta: ¿Qué les gusta hacer cuando una visita llega a sus casas?

Luego de las respuestas, se les presentarán imágenes y se les dará la posibilidad de que elijan una de esas opciones:

Imagen 1: Un niño jugando en la computadora, y la visita sentada con otro.

Imagen 2: un niño mirando la televisión, la visita dialogando con otro.

Imagen 3: un niño pidiendo permiso para irse al parque, mientras la visita está en la casa.

Imagen 4: niño sentado con la visita, dialogando con ella.

Luego se les preguntará, ¿por qué eligieron esa opción?

Cuénteles que en la Biblia, dos hermanas recibieron de visita a quien ellas querían mucho, y las dos tuvieron una actitud diferente frente a la visita.

¿Oímos cuáles fueron?

Lección bíblica

Cuente la historia que se encuentra en Lucas 10:38-42.

Un día, Jesús llegó a la aldea donde vivían sus amigas María y Marta. Cuando Jesús entró a la casa, María se sentó a sus pies para escuchar lo que él decía. En la casa también estaba Marta, quien quería atender muy bien a Jesús y por eso estaba muy atareada con las muchas cosas que había para hacer.

Marta se dio cuenta de que estaba trabajando sola, entonces fue a reclamarle a Jesús y le dijo: Señor, ¿no te preocupa que mi hermana María me deje sola con todo el trabajo? ¡Yo no puedo sola con todo! ¡Dile que me ayude!

Entonces Jesús, con voz compasiva le dijo: Marta, Marta, estás preocupada y nerviosa con demasiadas cosas. Hay una sola cosa por hacer y que es la más importante de todas... María la ha elegido y nadie se la va a quitar.

¿Conocían esta historia?

Como charlamos con las imágenes anteriores, también a la casa de María y Marta había llegado una visita, ¡el amigo Jesús!

¿Qué hizo María con la visita? Se sentó a sus pies para escucharlo.

¿Qué hizo Marta? Trabajaba y preparaba muchas cosas para atender bien a la visita. Pero, ¿estaba disfrutando junto a la visita? Jesús venía a visitar a sus amigas para estar con ellas y charlar ¿con cuál de las hermanas pudo hacerlo?

Jesús dijo que María había elegido lo único importante para hacer y que nadie se lo sacaría, ¿qué habrá querido decir con esto? Jesús vino a este mundo para llamar al arrepentimiento y para traer su perdón. María escuchaba estas palabras y nadie se las iba a quitar.

¿Escuchamos las palabras que vino a traer Jesús? ¿Dónde podemos escuchar hoy su Palabra? en la Biblia, y cuando nos reunimos para adorarlo. Quizás hay muchas cosas que nos impiden escucharla: mis papis no tienen tiempo para leérmela, llegan visitas y para atenderlas bien, dejamos de lado la palabra de Dios. La televisión, el teléfono, el jugar o pasear ocupan mucho de nuestro tiempo y al final... ni ganas tenemos de escuchar la Palabra.

La Palabra es la que nos ayuda a conocer a Dios y lo que él desea de nosotros, pero por sobre todo nos da la fe para creer que Jesús vino a morir en una cruz, y con su resurrección, nos ofrece el perdón de nuestros pecados y la vida eterna. A través de su Palabra Jesús nos guía para que en momentos como en los de Marta, sepamos ver qué es lo necesario y qué es lo único importante.

La Biblia es la palabra de Dios y es lo más importante que tenemos en nuestras vidas. Sólo a través de ella podemos conocer a Dios, tener fe, y vida eterna.

Oremos para que todos los días podamos tener la actitud de María, que podamos estar reunidos en torno a la Palabra, para escucharla.

Oración:

Eterno Padre, tu amor por nosotros es inmenso, gracias porque has enviado a tu Hijo Jesús para traernos perdón y vida, gracias por tu Palabra que es una luz que guía nuestros caminar y nos guía a tomar decisiones correctas y a saber diferenciar qué cosas son realmente importantes en nuestra vida. Ayúdanos a escuchar tu Palabra, a dejarnos iluminar por ella y a que nuestra vida sea un reflejo de que te escuchamos y de que tú vives en nosotros. En el nombre de Jesús. Amén.

Versículo para memorizar:

Tu palabra es una lámpara a mis pies y una luz en mi camino. ***Salmo 119:105***

Luego de que haya enseñado el texto y de que lo haya repetido varias veces con los niños, desarrolle el siguiente juego: Formen una ronda. Explíqueles que cuando usted diga "lámpara", deberán pararse. Cuando diga "camino", deberán sentarse. El juego comienza con la repetición seguida de estas palabras: lámpara, camino, lámpara, lámpara, etc. El niño o los niños que realicen la acción contraria a la sugerida por usted, deberán recitar el versículo bíblico. Si no se lo acuerdan, usted y el resto de los niños, los ayudarán. El juego continúa hasta que todos hayan repetido el texto. Finalice la actividad con la repetición conjunta del versículo bíblico.

Continúen con las hojas del alumno.

LECCIÓN 4 NIVEL 2

¿Qué necesito?

- Lámina para esta lección. (Jesús en casa de María y Marta).
- Retazos de papel (para la memorización del texto bíblico).
- Cinta adhesiva.

Dinámica

Conduzca a los niños a imaginar y reflexionar sobre la lista que usted escribirá en el pizarrón:

Antes de que llegue la noche tenemos todas estas actividades para hacer: Ir a la escuela. - Hacer los deberes. - Alimentar el cuerpo. - Hacer nuestro deporte favorito. - Descansar. - Leer la Biblia y orar. - Visitar a un amigo o recibirlo en casa. - Salir a jugar. - Hacer las compras a mamá. - Estudiar para la prueba de mañana en la escuela. - Jugar en la computadora - Revisar mensajes en el teléfono. - Mirar la televisión.

¿Quisieran agregar algo más a esta lista de las cosas que ustedes hacen y que aquí no están?

Si el día pasa y van viendo que no llegan a hacer todo, ¿Qué cosas de la lista dejarían afuera y cuáles no? ¿Por qué?

En una historia del Evangelio de Lucas sucedió algo parecido. Una visita importante llegó a la casa. Veamos cuáles cosas se dejaron de lado y cuáles no.

Lección bíblica

Lean Lucas 10:38-42. Comente: Jesús pasaba por Betania donde vivían los hermanos Marta, María, y Lázaro. Ellos eran sus amigos. La historia bíblica nos cuenta que en la casa estaban María y Marta. Todos sabemos que cuando llegamos a la casa de alguien, sus ocupantes tienen sus actividades. En este caso, ¿qué hicieron las hermanas cuando Jesús llegó? Marta estaba muy preocupada por los quehaceres de la casa, quería brindarle lo mejor a su amigo y por eso no supo dejar de lado el trabajo, ni sentarse con tranquilidad a escuchar a Jesús. En cambio, María lo dejó todo para estar con Jesús y sentarse para oírlo.

¿Piensan ustedes que Marta no quería estar con Jesús? Marta tenía gran estima por su amigo y por eso tenía tantas cosas para hacer, no quería que nada faltase. Pero todas esas actividades hacían que no tuviera tiempo para Jesús.

A veces hacemos como Marta, aun siendo niños tenemos muchas ocupaciones como las que nombramos en la lista anterior, y todas ellas hacen que digamos: ¡No tengo tiempo! No quedó tiempo para leer la Palabra, no quedó tiempo para orar… ¿Cuáles son nuestras prioridades? Olvidarnos de Dios equivale a perderlo todo. Jesús vino a darse enteramente por nosotros en una cruz. Con su muerte y resurrección nos trajo perdón, paz, y salvación. Todas nuestras demás ocupaciones pueden esperar para sentarnos como María, a los pies de Jesús a oír su Palabra.

Una sola cosa dijo Jesús que es necesaria; oír su Palabra. Al leerla, Dios viene a nosotros para darnos su amor y fe para vida eterna, ¿vamos a dejar que otras cosas de la vida nos quiten este tesoro?

Nuestra actitud como hijos de Dios es oír lo que él tiene para decirnos. La Palabra nos dará en todo momento sabiduría para saber darle prioridad a las cosas y nos guiará a lo necesario y más importante: ¡el Salvador Jesús!

¿En qué momentos podemos estar reunidos en torno a la Palabra?

De esta manera tendremos lo necesario, lo mejor y que nadie podrá quitarnos.

Oración:

Amado Dios, te damos gracias porque nos has dejado tu Palabra de vida y de amor que nos ofrece la fe y la salvación. Perdónanos por lo malo que hicimos. Llénanos de tu Espíritu Santo y guíanos para que con humildad y fe escuchemos tu Palabra. Que podamos meditar en ella y siempre tengamos un tiempo para hacerlo. Ayúdanos a transmitirla para que tu luz salvadora alcance a los que aún están viviendo en las tinieblas del pecado. Condúcenos a tu Palabra siempre para que podamos ver lo que realmente es necesario para nosotros. En tus manos nos encomendamos, en el nombre de Jesús. Amén.

Versículo para memorizar:

Tu palabra es una lámpara a mis pies y una luz en mi camino. ***Salmo 119:105***

Lleve tantos retazos de papel como palabras tiene el versículo.

Primero les pedirá a los niños que busquen el Salmo y lo lean varias veces tratando de memorizarlo. Luego se juntarán en pareja tratando de contarse cada uno y de memoria el texto bíblico. Seguidamente, reunirá alrededor de una mesa al grupo entero. Les entregará los retazos de papel y en cada uno, los niños deberán escribir una palabra del versículo. Después las pegarán por las paredes de toda el aula, sin seguir el orden del versículo. Finalmente se designará una palabra a cada niño, y el niño que tenga la primer palabra del texto comenzará a leerla en voz alta, continuará el niño con la palabra que sigue y así sucesivamente hasta completar la secuencia del versículo.

Continúen con las hojas del alumno.

LECCIÓN 4 NIVEL 3

¿Qué necesito?

- Una vela, nueva o usada.
- Una bombilla eléctrica.
- Biblias.
- Pizarrón o papel afiche.

Dinámica

Presentarles a los participantes la vela y la bombilla eléctrica, luego se dividirá al grupo en dos.

A un grupo se le entregará la vela y al otro la bombilla eléctrica. Luego se les pedirá a cada grupo que piense y escriba características del objeto que le tocó. ¿Qué saben de su origen? ¿Cuándo se usan? ¿Cuánto cuestan? ¿Quiénes las usa? ¿Quiénes no? ¿Cuáles son los pro y contra? ¿Cuáles son las diferentes variedades? ¿Alguna experiencia personal con ellas? ¿Qué tipo de luz originan? ¿Cuál brinda mayor comodidad? ¿Con cuál nos sentimos más seguros? ¿Por qué? Finalmente los grupos expondrán lo anotado al resto de sus compañeros permitiendo sus opiniones.

Generalmente elegiríamos la bombilla, quizás por comodidad, porque con tan sólo apretar un botón ya tendríamos luz y además, porque ilumina el lugar de una manera más amplia y podemos ver con claridad. Pero si la luz se corta o directamente no hay luz eléctrica, elegimos la vela. Damos prioridades a las cosas según el momento y el uso que le queramos dar. Y así lo hacemos con todo lo que vivimos a diario. Pero estas decisiones que tomamos, ¿son siempre las más adecuadas?

En la Biblia encontramos la historia de María y Marta, quienes también le dieron prioridad a lo que ellas querían. ¿Habrán sido beneficiosas para las dos? Hagamos este análisis.

Lección bíblica

Lean Lucas 10:38-42.

Cuando Jesús pasa por Betania se queda en la casa de sus amigos: María, Marta, y Lázaro. La historia bíblica nos muestra a Marta muy preocupada por los quehaceres de ese día. Había llegado su amigo Jesús y lo quería preparar todo de manera que pudiera brindarle lo mejor. ¿Y cuál fue la actitud de María? Se sentó a los pies de Jesús para oírlo.

Si pensamos en esto de las prioridades que hablamos al comienzo, ¿quién crees tú que fue la más beneficiada? María lo era y no porque no precisaba hacer nada sino porque ese momento, en el que la Palabra llegaba a ese hogar, demandaba dejar de lado cualquier preparativo para sentarse con tranquilidad y sencillez a los pies de Jesús para oírlo.

¿Pecaba Marta por estar preparando la comida para su invitado? No es malo preparar una comida, pero como lo hablamos al principio, día a día tenemos que dar prioridades a las cosas. Una razón es porque no podemos hacerlo todo, el tiempo no lo permite. Otra, es porque cuando no damos prioridades a las cosas, nos pasa lo que le pasó a Marta, nos perdemos de escuchar la voz de Jesús.

Dios sigue viniendo a nosotros y a nuestro hogar, ¿en dónde puedo escuchar su voz? En la Biblia y cuando nos reunimos en el templo. La Palabra es una lámpara a nuestros pies que ilumina nuestros caminos. En momentos puede parecerse a la luz potente de una bombilla que permite ver con claridad la voluntad de Dios. Pero otras veces, esta luz llega a ser tenue, como la de una vela. ¿Por qué crees que esta luz puede ser tan débil en algunos momentos? Porque no sabemos dar prioridades a las cosas. Nos pasa como a Marta, nos cargamos con tantas actividades que no tenemos tiempo para Dios. No tenemos tiempo para sentarnos a sus pies para oír su Palabra y así poco a poco, la vamos dejando de lado y esa luz potente, se va atenuando. ¿Crees que perdemos algo al dejar de oír la palabra de Dios?

Jesús vino al mundo, cuando nosotros estábamos perdidos y condenados a la muerte eterna por nuestros pecados. Dio su vida en la cruz porque nos ama y desea darnos el perdón de los pecados que nos separan de él. Él vino a traernos vida. Esta liberación y transformación, la recibimos de Dios a través de la fe que viene por el oír la Palabra, el Bautismo y la Santa Cena. Cada vez que vamos a la Palabra, esa luz se intensifica y nos ilumina, nos fortalece y guía.

Pensemos, ¿hay alguna cosa más necesaria que ésta? Dios, quien nos ama, desea que escuchemos su voz, nos ofrece su perdón y nos llama a sentarnos a sus pies. Ésta es la mejor elección y nadie nos la podrá quitar.

Oración:

Amado Padre, gracias por tu amor perdonador y lleno de vida para nosotros. Gracias porque tu Palabra es una luz que nos ilumina y guía por la vida. Te pedimos perdón porque muchas veces, por el trajín diario, dejamos de lado la lectura de ella argumentando que no tenemos tiempo. Dirígenos para que su lectura esté dentro de nuestras prioridades diarias. Danos tranquilidad y humildad, para sentarnos a tus pies, oír tu Palabra y comprenderla como palabras de vida eterna. Ayúdanos a reconocerla y a desearla como lo más valioso para nuestras vidas, en el nombre de Jesús. Amén.

Versículo para memorizar:

Tu palabra es una lámpara a mis pies y una luz en mi camino. ***Salmo 119:105***

Permita que los alumnos busquen en las Biblias el texto del Salmo y lo lean varias veces, tratando de memorizarlo. Luego pídales que cierren sus Biblias. Seguidamente, escriba una o dos palabras clave del versículo en el pizarrón o en un afiche. Ej. Lámpara, pies. Finalmente, pida a los alumnos que traten, uno por vez, de pasar y escribir una palabra cada uno, hasta completar el versículo bíblico.

Continúen con las hojas del alumno.

LECCIÓN 5

JESÚS ME BENDICE PARA VIDA ETERNA

Enseñanza: Somos salvos sólo por la fe en Jesús.

Historia: Pablo y Silas con el carcelero de Filipos.

Base bíblica: Hechos 16:16-34.

INTERPRETACIÓN

El libro de Hechos de los Apóstoles ofrece al creyente la posibilidad de seguir leyendo la fascinante historia de Jesús, el Hijo de Dios, crucificado, resucitado y ascendido, presente y activo en la vida de la iglesia. Lo que en los evangelios aparece como promesa (Mateo 18:20; 28:20), ahora se comprueba en la acción misionera y la comunión de las nuevas congregaciones que se van formando por la valerosa predicación de los apóstoles. Jesús continúa su misión en el mundo a través de la predicación del evangelio a todos, sin excepción. Él es la cabeza de la iglesia, nosotros somos su cuerpo, el cual guiado por el Espíritu Santo sirve al Señor de acuerdo a sus dones, con humildad, y dedicación (Colosenses 1:18; 1 Corintios 12:27).

Así es como encontramos a Pablo y a Silas predicando el evangelio en Filipos. Ellos, por causa de su predicación, fueron encarcelados. Siendo inocentes de todo crimen, terminaron en el peor lugar de la cárcel con sus pies atados a un cepo que los obligaba a permanecer parados en una posición muy incómoda. En tal situación de injusticia y dolor físico, los misioneros optan por la oración y el canto. En la oscuridad y soledad de la noche más profunda lo único que se oía en la cárcel eran las voces de Pablo y Silas dando testimonio de lo que creían y que en ese preciso momento les traía fortaleza y paz. Dios no se olvida de quienes le pertenecen. Él está atento a sus necesidades y responde las oraciones de su pueblo (Salmo 42:8, Isaías 49:15-16). Por extraño que parezca la ayuda de Dios viene en forma de terremoto. El terremoto para los apóstoles es señal de ayuda divina, así todos los presos quedan libres de sus cadenas. Para el carcelero, el terremoto que lo despierta causa terror y ansiedad al punto que, sobrepasado por tal situación, piensa en quitarse la vida.

El encuentro del Salvador Jesús con el carcelero es mediado por los embajadores del evangelio que traen un mensaje de perdón y vida a los filipenses. El carcelero hace una pregunta que cambiará su vida. Su pregunta se enfoca en el deber y hacer. La respuesta derrumba esta forma de buscar a Dios por medio de acciones propias y ofrece como regalo la salvación que es por la fe (Marcos 5:36, Juan 4:42). La salvación está a su alcance, tan cerca que por medio de la fe ya es suya. Jesús se hace presente en su vida y la de su familia. La salvación es un regalo, es una bendición que Jesús mismo concede a todo aquel que en él cree (Juan 3:16). Naturalmente, la Palabra predicada, lleva a toda la familia del carcelero a recibir el agua viva del Bautismo (Juan 4:14). Con el Bautismo todos ellos son sellados para salvación con la presencia santificante del Espíritu Santo. Luego de ser bautizados, sigue la comunión y la alegría gozosa que comparte esta familia junto a los apóstoles. Ellos ahora son hermanos en la fe, por lo tanto familia de Dios y herederos de la vida eterna.

Aplicación

La predicación del evangelio es tarea de toda la iglesia. Cada creyente es en sí mismo un mensajero, llamado desde su Bautismo para anunciar la obra redentora de Jesús a todos cuanto pueda, donde sea que se encuentre (1 Pedro 2:9). Debemos considerar que como cristianos en un mundo que desconoce y rechaza a Dios, podremos encontrar indiferencia, oposición y hasta persecución por causa de la fe (1 Pedro 2:20-23). Esto no debe sorprendernos, así fue con nuestro Señor Jesús, ocurrió con los primeros discípulos, y a lo largo de la historia de la iglesia. Sin embargo, los cristianos no se amedrentan frente a tales situaciones, porque saben que es posible que así suceda. Nos anima saber también que la fe que habita en nosotros también es para otros. La fe es un don bendito de Dios, por ella creemos y confiamos en Jesús. No confiamos ya en nuestros propios esfuerzos, sino que ponemos toda nuestra esperanza en la obra de Jesús en la cruz. Desde allí, contemplamos el amor divino, nos unimos en comunión como sus hijos, imploramos el perdón de nuestros pecados, y servimos diariamente a nuestro prójimo con humildad y dedicación.

LECCIÓN 5 NIVEL 1

¿Qué necesito?

- Lámina para esta lección. (Pablo y Silas y el carcelero de Filipos).
- Un voluntario.
- Una caja de gran tamaño.
- Papel de color para forrar la caja.
- Un moño grande para colocar sobre la caja.
- Tarjetas de reproducibles (p 117), colocadas dentro de la caja, una por cada alumno.
- Porción de guarda una por cada niño, (reproducibles, p 117).
- Crayones o lápices de colores.
- Papel afiche.

- Fibrón negro.
- Cola vinílica.
- Hojas tamaño carta color (para pegar el rompecabezas de la lección del alumno), una por niño.

Dinámica

Con anticipación a la clase escriba en el papel afiche el pasaje bíblico para memorizar y guárdelo hasta el momento final de la clase.

Organice al grupo en una ronda, de tal forma que todos puedan ver. Tome usted también un lugar en la ronda. Cuando estén todos preparados el voluntario traerá la caja y la colocará en medio de la ronda.

Pregunte a los niños si alguno pidió que le trajeran algo que pueda estar dentro de la caja.

Con seguridad todos dirán que esa caja no es de ellos.

Entonces pregunte ¿A qué se parece esa caja? Es probable que respondan a un regalo.

Vuelva a preguntar: ¿A quién le gusta recibir regalos?

Seguramente será una respuesta unánime: ¡A mí!

Lección bíblica

Comparta con los niños la historia de Hechos 16:16-34. Recuerde tener su Biblia abierta mientras hace la narración.

Pablo y Silas eran amigos de Jesús. Ellos sabían que había mucha gente triste en el mundo que no conocían el amor que Jesús tenía por ellos. Pablo y Silas caminaban por las ciudades anunciando el amor de Jesús para todos. Como no todas las personas estaban de acuerdo con que se anunciara este mensaje, enviaron a Pablo y a Silas a la cárcel. En la cárcel fueron maltratados.

Pregunte a los niños: ¿Los asusta la oscuridad?

¿Saben que hicieron Pablo y Silas en medio de oscuridad? ¿Gritaron? NO. ¿Lloraron? NO. ¿Protestaron? NO.

En la cárcel, en medio de la oscuridad Pablo y Silas CANTABAN y ALABABAN a Dios.

De repente un temblor sacudió la tierra y la cárcel y todas las puertas de las celdas se abrieron.

Pablo y Silas no escaparon. El carcelero no podía creerlo. El carcelero entonces pidió que le hablaran del amor de Jesús a él y a su familia. ¡Ellos recibieron el regalo!

Jesús quiere darnos ese regalo a todos. Es el regalo de la fe. La Biblia dice que todos los que crean y sean bautizados, serán salvos. Y ésta es una noticia que todos deben saber.

Vamos a orar para pedirle a nuestro Dios que todos puedan conocerlo.

Oración:

Señor te damos gracias por tu amor. Te damos gracias porque enviaste a Jesús para que diera su vida en la cruz por nosotros. Te pedimos que nuestra fe crezca cada día. Que la salvación que viene con Cristo nos alcance a todos. Oramos en el nombre de Jesús. Amén.

Entregue a cada niño la porción de guarda de reproducibles, coloque en un lugar visible los crayones o lápices de color con que los niños pintarán los dibujos y la palabra (Jesús) de la guarda.

Extienda el afiche con el pasaje que preparó antes, en el contorno del mismo pegará las guardas uniéndolas unas con otras y formando una sola.

Al terminar esta actividad reúna a los niños, abra la caja y entregue a cada niño una tarjeta, como recuerdo de esta lección.

Exponga el afiche en un lugar visible.

Versículo para memorizar:

El que crea y sea bautizado, será salvo. ***Marcos 16:16***

Continúen con las hojas del alumno.

LECCIÓN 5 NIVEL 2

¿Qué necesito?

- Lámina para esta lección. (Pablo y Silas y el carcelero de Filipos).
- Un paquete con caramelos sueltos, o galletitas (al menos un elemento por participante para usar como el "regalo").
- Una hoja en blanco o cuaderno.
- Un fibrón negro.
- Cuerda para saltar.
- Bastón plástico o de madera (como los usados en educación física).

- Dos trozos de cinta de tela de 1 m de largo, cada una (para señalar el tramo que se recorrerá saltando en un pie).
- Un pequeño ovillo (no más de 3 m) de lana o hilo grueso.
- Diez piedras pequeñas.
- Una pelota de tamaño mediano.
- Un balde o recipiente (donde quepa la pelota)
- Pizarrón y tizas o papel afiche y fibrón.
- Piezas del rompecabezas de reproducibles (p 118).
- Letras de reproducibles (pp 120-121), suficientes para formar el pasaje bíblico para memorizar.*
- Cola vinílica o silicona en frío
- Papel afiche de color claro para armar el texto.
- Elementos para decorar: témperas, papelitos de color, acuarelas, lápices de color, arena, botones, palillos, ramitas pequeñas, retazos de lanas o hilos de color.
- *La cantidad necesaria de cada letra para formar el pasaje bíblico es: A, 6; B, 1; C, 1; D, 1; E, 5; I, 1; L, 2; O, 2; Q, 1; R, 2; S, 3; T, 1; U, 2; V, 1; Y, 1; Z, 1.

Dinámica

Reúna a su grupo haciendo un círculo, sentados en el suelo. Una vez reunidos, haga la siguiente propuesta:

Niños, si hacen bien las actividades que les pido les daré un "regalo".

Las actividades serán las siguientes (realizar, al menos tres o cuatro actividades, por niño. Realice aquellas que a usted le resulten más adecuadas, en función de su grupo de alumnos y a los elementos que consiga).

Saltar la cuerda, al menos tres veces consecutivas.

Saltar de un lado al otro del bastón, al menos cinco veces.

Recorrer saltando en un pie, un tramo señalado.

Hacer una trenza con el cabello de una compañera.

Recitar el ABC, rápidamente.

Ovillar, rápidamente, un ovillo de lana.

Caminar, una distancia sugerida, colocando un pie delante de otro (como si fuera el juego pan/queso).

Colocar en hilera diez piedras.

Embocar la pelota dentro del balde, al menos tres veces.

Rebotar la pelota, al menos tres veces consecutivas.

Si el grupo fuera numeroso, varios niños realizarán las consignas al mismo tiempo. Recuerde que mientras los niños realicen la consigna, usted estará con su hoja o cuaderno apuntando resultados (ésta será sólo una estrategia, para darle un carácter formal a la competencia). La competencia será individual. Al finalizar la competencia cada uno recibirá el "regalo".

Durante la realización de la competencia, repita que al finalizar, quien cumpla con las actividades, recibirá un regalo.

Al concluir con la serie de actividades, entregue el presente correspondiente a cada uno de los participantes presentes.

Ubique al grupo cerca del pizarrón o el papel afiche y anote las respuestas de los niños.

Pregunte a sus alumnos ¿Por qué creen que les di el regalo?

Esté atento a las respuestas. Las posibles respuestas serán:

Nos has dado el regalo porque has dicho que lo harías.

Recibimos el regalo porque hicimos bien los desafíos.

Nos has dado el regalo, porque obedecimos.

Recibimos el regalo porque lo merecíamos.

Lección bíblica

Lea con sus alumnos el pasaje bíblico de Hechos 16:16-34. Como el texto es largo, sugerimos que la lectura se haga repartida entre varios lectores. Realizar la lectura, por lo menos dos veces.

Una vez hecha la lectura, presente las piezas del rompecabezas de reproducibles (p 118).

Repase la lectura, hecha anteriormente, de la siguiente forma: coloque las piezas del rompecabezas, mezcladas sobre una mesa. A medida que realiza las preguntas y el grupo de niños responda, un niño, elegido al azar, seleccionará la escena que representa la respuesta dada por el grupo. Pegar las piezas que componen, el rompecabezas sobre el pizarrón o una pared. Las preguntas que guiarán el armado del rompecabezas son las siguientes:

¿Por qué llegaron Pablo y Silas a la cárcel?

¿Qué dijeron los jueces?

¿Cómo estaban Pablo y Silas en la cárcel?

¿Qué hacían Pablo y Silas, en la cárcel, durante la noche?

¿Qué pensó el carcelero que había pasado, después del temblor que sacudió la cárcel?

¿Qué recibió el carcelero?

Comparta con el grupo: Jesús es el que nos regala la salvación. No porque hagamos algo bien, o porque lo merezcamos, o porque lo hayamos pedido. Jesús nos regala la salvación porque nos ama. No hay otro motivo para hacernos este regalo.

Porque nos ama, se entregó a la cruz, y pagó con su muerte por nuestros pecados. Aquel que cree en este mensaje, recibe la salvación. Este regalo de salvación que nos ofrece Jesucristo nos llega a través de su Palabra y del Bautismo (haga referencia al bautismo del carcelero y de toda su familia en el v 33).

Oremos para que Dios, por medio de su Espíritu Santo, nos haga creer en esta promesa:

El que crea y sea bautizado, será salvo. Marcos 16:16.

Oración:

Nuestro Dios y Padre. Durante estos días hemos aprendido de tu Palabra y te damos gracias por eso. Queremos creer en tu promesa de salvación. Quédate con nosotros con tu Espíritu Santo y guíanos siempre en la verdad. Te pedimos estas cosas en el nombre de tu Hijo, Jesús. Amén.

Versículo para memorizar:

El que crea y sea bautizado, será salvo. ***Marcos 16:16***

Utilizando las letras del libro del maestro (reproducibles, pp 120-121), fotocopie tantas letras como sean necesarias, para formar el pasaje bíblico. Entregue una letra a cada niño que decorará la letra con el material elegido. (Si el grupo es muy numeroso formar dos equipos y armar sendos afiches con el texto bíblico). Posteriormente pegar las letras en un papel afiche, formando el pasaje bíblico. Colocar el papel afiche en un lugar visible.

Continúen con las hojas del alumno.

LECCIÓN 5 NIVEL 3

¿Qué necesito?

- Una caja de cartón de gran tamaño.
- Papel de color para forrar la caja.

- Un moño llamativo para colocar sobre la caja.
- Elementos para poner dentro de la caja antes de forrarla:
- Mensaje de reproducibles, p 119 (uno para cada participante).
- Varias hojas blancas de 20 cm x 12 cm aproximadamente.
- Crayones de varios colores.
- Retazos de papeles de colores.
- Cola vinílica.
- Fibras.
- Lápices de color.
- Regla, una por alumno.
- Pelota de tamaño medio.
- Objetos para la dinámica: Maleta, cajas grandes y comunes de cartón, cinta para embalar.

Dinámica

Reúna al grupo de participantes, invite a sentarse en el suelo para conversar. Una vez reunidos traiga al centro de la rueda la caja forrada con el moño. Cuando la caja esté ubicada en medio de los presentes, pregunte:

¿Qué estarían dispuestos a hacer para obtener un gran regalo?

Espere las respuestas más osadas.

Si es posible permita que alguno de los participantes realice cualquiera de los desafíos.

Aquí proponemos algunos desafíos posibles, que usted puede presentar de ser necesario:

Saltar en un pie, al menos diez veces consecutivas.

Botar la pelota, al menos 15 veces consecutivas.

Decir, por lo menos, 15 palabras que comiencen o contengan una letra determinada.

Una vez que hayan cumplido con alguno de los desafíos, vuelva a preguntar:

¿Qué cosa iba a darles? Todos dirán: un regalo.

Pregunte nuevamente: Si lo que les daré es un regalo ¿ustedes debieran hacer algo a cambio? La verdad es que no, cuando recibimos un regalo lo único que debiéramos hacer es ser agradecidos.

Lección bíblica:

Realicen la lectura del pasaje de Hechos 16:16-34.

La lectura es larga, por lo tanto sugerimos dividirla entre varios participantes. Realice la lectura por lo menos dos veces.

Una vez hecha la lectura del pasaje bíblico, comparta: Pablo y Silas sabían quién era Jesús y las buenas noticias que él trajo para todos. Entonces iban por las ciudades contando estas noticias para que todos las conocieran.

Llegados a esta ciudad (Filipos), son acusados, golpeados, y enviados a la cárcel. Esta injusta situación, sin dudas, entristece a Pablo y a Silas, pero no los desalienta.

Cuando llegan a la cárcel son muy mal tratados también. El carcelero los envía a la celda más oscura y alejada de la salida, y como si esto fuera poco les coloca el cepo, lo que hacía que tuvieran una posición muy incómoda y dolorosa.

¿Cómo reaccionan Pablo y Silas? Pablo y Silas molestos, doloridos, y abandonados en la cárcel cantan y alaban a Dios. ¿Cantaban y alababan a Dios? Sí eso hacían Pablo y Silas en la cárcel. ¿Por qué? Porque sabían que Dios no los había abandonado. Aunque así no lo pareciera.

De repente, cuando todo parece calmado, en medio de la oscuridad un temblor sacude los cimientos de la cárcel. Las celdas se abren y el carcelero no se anima a ver qué sucedió. Tanto temor tenía, que quiso atentar contra su vida.

Pero Pablo rápidamente llama al carcelero: –¡No te hagas daño! ¡Todos estamos aquí!

¡Te imaginas: tú estás en la cárcel injustamente, y sorpresivamente las puertas se abren! ¿Qué harías?

Al entender lo que habían hecho estos presos el carcelero no puede seguir dudando que el Dios de Pablo y Silas, el Dios que ellos predicaban, es el Dios verdadero. El carcelero quiere saber qué debe hacer para ser salvo. La respuesta es simple: la salvación es un regalo. El carcelero no quiere este regalo para él solo. Pide a Pablo y a Silas que vayan a su casa, para que su familia conozca esta bendición de la salvación.

¿Recuerdan que la primer lección dijimos que Dios, en Cristo, quiere bendecirnos a todos? La mayor bendición es la salvación que nos trae Cristo, por medio de la fe. Digámoslo a todos cuanto conocemos.

Oremos para que otros, a través de nosotros, conozcan esta verdad.

Oración:

Amado Padre celestial, te damos gracias por tu gran amor para cada uno de nosotros. En tu bondad entregaste a tu Hijo para que diera su vida en nuestro favor. Te pedimos para que el regalo de la fe llegue a nosotros. Te pedimos también que tu Espíritu Santo nos acompañe siempre para que contemos a todos tu regalo de salvación. Oramos en el nombre de Jesús. Amén.

Para comenzar a contar a todos del amor de Cristo prepararemos unos mensajes para entregar.

Abra la caja junto a los participantes del grupo. Entregue a cada uno el mensaje.

Extraiga de la caja los demás elementos. Solicite a los presentes confeccionar carteles con mensajes para entregar a las familias y en el barrio donde se desarrolla la EBV. Cada joven podrá utilizar cualquiera de los materiales ofrecidos. Copiaran en la hoja en blanco el mismo mensaje que han recibido. Y podrán agregar la decoración que les parezca agradable (corazones/ flores/ hojas/ mariposas/ líneas/ puntos).

Mientras se desarrolla esta actividad repetirán en forma grupal e individual el pasaje bíblico elegido para memorizarlo.

Versículo para memorizar:

El que crea y sea bautizado, será salvo. ***Marcos 16:16***

Continúen con las hojas del alumno.

Solución a la actividad del alumno: Las posibles oraciones del punto uno son:

PABLO y SILAS ERAN DISCÍPULOS.

El CARCELERO TUVO MUCHO TEMOR.

Por HABLAR de DIOS Pablo y Silas FUERON CASTIGADOS.

CREE en JESÚS y SERÁS SALVO.

2- La palabra que corresponde es SALVACIÓN

3- Las palabras clave son: salvación, fe, Jesús, gracia y Bautismo.

ESTUDIOS BÍBLICOS PARA ADULTOS

CHARLA 1

JESÚS BENDICE A TODOS. A MÍ TAMBIÉN

Tema: Dios quiere que todos recibamos su bendición.

Historia: Jesús bendice a los niños.

Base bíblica: Lucas 18:15-17 (Mateo 19:13-15, Marcos 10:13-16).

INTRODUCCIÓN

Utilice la *Hoja del participante* en las pp 121-122. Señales de tránsito. Inicie la reunión hablando de las distintas señales e indicadores que encontramos a nuestro alrededor. Cada señal tiene un significado, ellas nos ayudan a orientarnos, cuidarnos, o informarnos de lo que viene por delante.

Las señales de tránsito no son todas iguales. Explique las diferencias:

Señales de reglamentación (prohibición): Ellas determinan que ciertas acciones no pueden realizarse, restringiendo velocidad, estacionamiento, uso de carriles, etc. Además limitan la velocidad, el peso y tamaño de vehículos.

Señales de prevención: nos ayudan a tener precaución en algunos lugares porque hay peligros, como por ejemplo una curva cerrada, un túnel o un puente angosto.

Señales de información: son variadas y todas ellas nos ayudan a saber dónde estamos (nombre de la ciudad, calle, número de ruta), y qué viene por delante (áreas de servicio o lugares turísticos).

DESARROLLO

Cada señal tiene un valor. Algunas de ellas nos prohíben acciones y por lo tanto se convierten en una barrera para que no pasemos ni vayamos más allá de ese límite. Otras señales anticipan las dificultades que pueden aparecer en el camino. Finalmente, tenemos señales que nos orientan para encontrar lo que necesitamos (ej. gasolineras, aeropuertos, hospitales, policía, etc.). Todas las señales tienen por objetivo ayudarnos a ordenar el tránsito, evitar accidentes y permitir que las personas convivan mejor.

Leer la historia bíblica de nuestra lección.

Estimule la reflexión de los participantes, orientándolos hacia una comparación entre las palabras de Jesús (invitando) y la acción de sus discípulos (impidiendo) en relación a los padres y niños que se acercaban.

Conclusión: los discípulos actuaron como barreras que impedían llegar a Jesús. Fueron señales de prohibición y cerraban el camino a Jesús. Por el contrario, como hijos de Dios y fieles discípulos de Jesús es importante que tomemos sus palabras seriamente para ser señales que orientan, informan, y ayudan a que muchos (grandes y pequeños) lleguen a él.

Hay otras barreras a nuestro alrededor que no están marcadas con señales, sin embargo están presentes: El pecado es la gran barrera que nos aleja de Dios y de nuestro prójimo. Invite a reflexionar a los participantes sobre las actitudes, palabras y acciones que levantan barreras entre las personas.

Leamos Romanos 3:23, Gálatas 5:19-21.

Jesús invita a todos porque levanta las barreras que nos separan. Cuando él llama, nos acerca; cuando invita con su Palabra, nos reconcilia. Ahora consideren aquellas actitudes, palabras, y acciones que sirven para vivir en armonía y paz con el resto de las personas.

Efesios 2:16-19, Colosenses 2:13-14, Gálatas 5:22-25.

CHARLA 2

JESÚS ME LLAMA A SU PRESENCIA

Enseñanza: Dios está atento a nuestras necesidades.

Historia: Jesús da la vista a un ciego.

Base bíblica: Lucas 18:35-43.

INTRODUCCIÓN

Organice a los asistentes en dos grupos. Cada grupo deberá elegir un delegado al que le taparán los ojos. Previamente el guía deberá preparar en el piso una cuadrícula como la que se hace para jugar a la rayuela. La diferencia será que algunos de los cuadros estarán marcados con una cruz o X, indicando que ese cuadro no puede pisarse. Cada grupo deberá guiar a su delegado sÓlo con indicaciones de voz (no podrá llevarlo de la mano, ni tocarlo en ningún momento del juego), para que avance por la cuadrícula sin pisar los cuadros tachados ni las líneas de la misma. En el momento en que lo haga, pierde el juego. Si los participantes se animan pueden hacerlo varios del grupo. La intención del juego es que la persona con los ojos vendados pueda confiar y depender de las direcciones que el resto del grupo le da, y al mismo tiempo que el grupo sea inteligente y capaz de guiar correctamente a la persona para completar el recorrido.

DESARROLLO

Luego de completar el juego distribuya la *Hoja del participante* en pp 124-125. Invite al grupo a leer el pasaje bíblico correspondiente a la segunda reunión.

Anime a los participantes a comparar el juego que compartieron con la historia del ciego de Jericó.

Enfoque la atención en cómo se sintió quien tenía los ojos vendados queriendo moverse sin ver el lugar por donde ir.

Destaque la situación en que el ciego y las personas enfermas o discapacitadas se encontraban en aquellos tiempos (consulte la sección de interpretación).

Destaque también que en las profecías del Antiguo Testamento una de las características inconfundibles del Mesías sería dar la vista a los ciegos (consulte la sección de interpretación).

Oriente la conversación del grupo hacia otro tipo de ceguera: la ceguera espiritual por la cual todos los seres humanos somos incapaces por nuestros propios medios de ver y conocer al Dios que ama y envía a su Hijo para restaurarnos la vista, de tal forma que podamos tener fe, creer, y ser perdonados del pecado que nos ciega (leer de la hoja del participante 2 Corintios 4:6, Hechos 26:18).

Respondan las siguientes preguntas:

¿Qué dificultades trae la ceguera a la vida de una persona?

¿Cuáles son las necesidades que enfrentó el ciego para llegar a Jesús? (vv 38-40).

Jesús pregunta: "¿Qué quieres que haga por ti?" ¿Acaso no se dio cuenta de la necesidad del hombre?

Jesús quiere oír la petición del hombre. También oye nuestras oraciones, y está atento a cada una de nuestras necesidades (actividad de la Hoja del participante "cheque en blanco"). Completemos este cheque con peticiones y necesidades para orar a Dios.

Jesús nos promete que escuchará nuestras oraciones y dará siempre una respuesta (leer en la hoja del participante Juan 15:7 y Mateo 6:8). Tomemos esta promesa de nuestro Salvador con seguridad para orar sin cesar y en cada necesidad (1 Tesalonicenses 5:17), esperando con fe que nos muestre su compasión.

En el Padrenuestro se refleja la compasión del Padre celestial que nos enseña a orar por todas las necesidades que podamos tener. Dios nos entrega esta oración como un arma poderosa por la cual aprendemos a orar conforme a la voluntad del Padre y saber que en cada petición él ya conoce muy bien qué necesitamos y cuándo darnos la ayuda oportuna.

Oramos el Padrenuestro para finalizar.

CHARLA 3

JESÚS ME ACEPTA CUANDO NADIE LO HACE

Enseñanza: Dios busca a los despreciados.

Historia: Jesús y Zaqueo.

Base bíblica: Lucas 19:1-10.

INTRODUCCIÓN

El líder del grupo debe preparar dos tarjetas del mismo tamaño, pero de diferente color con la siguiente forma:

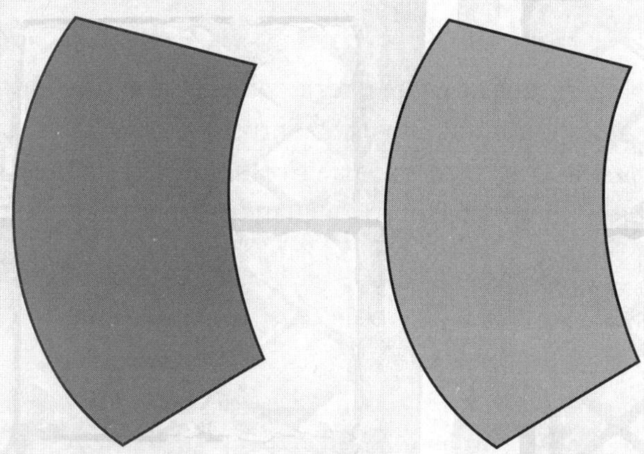

El tamaño debe ser grande como para que todos las vean.

El guía tendrá que iniciar con la siguiente pregunta: ¿Cuál de estos dos cartones es más grande? y sostenerlos por un instante hasta recibir las primeras respuestas. Las mismas serán diversas, unos verán el rojo más grande, otros el verde. Luego las cambiará de posición de un lado a otro y preguntará lo mismo. Esto traerá dudas y confusión a los presentes no sabiendo ahora qué decir. La forma de los cartones genera la ilusión óptica de ver siempre uno más grande que el otro, aunque en realidad son exactamente iguales.

Luego de revelar la incógnita, lean el pasaje bíblico de la charla. Distribuir la *Hoja del participante*, pp 126-127.

DESARROLLO

Jesús encuentra a Zaqueo: se manifiesta la condición pecadora.

Ayude a los presentes a relacionar la actividad inicial con la historia de Jesús y Zaqueo. Cuando vimos los cartones tuvimos que hacer un juicio y elegir, decidiendo cuál era más grande. Sin embargo, ninguno era más grande, ambos eran iguales en tamaño. Nuestros juicios fueron diferentes, cada uno vio de acuerdo a su posición a uno u otro más grande, pero todos nos equivocamos. Podemos errar en nuestros pensamientos y juicios hacia otras personas, cuando creemos que somos dueños de la verdad y nos tomamos la atribución de etiquetar como "muy pecadores" a otras personas.

Zaqueo no fue una buena persona, pues abusó de su trabajo para enriquecerse y defraudar a otros cobrando impuestos excesivos.

Sin embargo, las personas que lo juzgaron a él y a Jesús por ir a hospedarse en su casa no eran mejores que Zaqueo, es decir que no tenían pecado alguno. Ellos cayeron en el pecado del orgullo, creyendo que no eran "tan pecadores" como otros. Leamos ahora Mateo 7:1-5. El único que puede juzgarnos con justicia y según la verdad es Dios, y nadie más. Dios nos juzga por medio de su santa Palabra, allí revela su voluntad.

Jesús en la casa de Zaqueo: se revela la misericordia del Salvador.

Jesús no desprecia a ninguna persona, pues todos necesitan igualmente de la misericordia y el perdón de los pecados. Leamos de la hoja del participante Romanos 3:10-12.

Jesús afirma que necesita estar en la casa de Zaqueo. La presencia del Salvador y su mensaje de perdón y salvación llegan al hogar de Zaqueo de tal forma que producen fe, confianza, y certeza de la salvación. Leamos Apocalipsis 3:19-21.

El Salvador Jesús revela su propósito redentor para toda la humanidad cuando dice que vino a buscar y salvar lo que estaba perdido (v 10).

Cada uno de nosotros, como Zaqueo, puede ser juzgado como "muy pecador", y podemos sufrir a causa de la discriminación o prejuicios de otros. Pero Jesús nos defiende y viene a nosotros para darnos perdón y consuelo en medio de nuestras debilidades (leer Salmo 27:10). Él nunca se avergüenza de nosotros, si en fe, arrepentimiento, y humildad confesamos nuestro pecado y buscamos su perdón.

También, cada uno de nosotros puede caer en la tentación de juzgar a otros como "muy pecadores", desconociendo nuestro propio pecado. Por eso Jesús nos llama la atención para no caer en la hipocresía de creernos mejores al resto. Por el contrario, nos anima a que con paciencia y mansedumbre estemos al servicio de todo el que nos necesite (leer Gálatas 6:1-2, Colosenses 3:12).

CHARLA 4

JESÚS ME CONDUCE A SU PALABRA

Enseñanza: Dios nos enseña que su Palabra es lo más importante.

Historia: Jesús en casa de Marta y María.

Base bíblica: Lucas 10:38-42.

INTRODUCCIÓN

Nota: el día anterior a esta charla bíblica el guía deberá distribuir entre los participantes una invitación a una cena que compartirán el día de esta charla 4. En la invitación deberán anunciar que están invitados a la gran cena que prepara Jesús para todos ellos. Esta invitación debe generar cierta expectativa, revelando la importancia del evento y que deben venir preparados de una manera especial para la misma.

El día de la charla, al momento de entrar a la sala o lugar donde se realice habrá una mesa preparada y decorada para la ocasión, quizás algunas velas y flores que adornen la mesa, pero sin vajilla, ni comida o bebida. Cada uno tomará asiento en su lugar, luego que todos estén sentados, el líder preguntará si están cómodos en su lugar, y si necesitan algo más. Algunos estarán sorprendidos, quizás no se animen a preguntar. Guiar la conversación hacia la invitación y lo que falta en la mesa para que se cumpla realmente la promesa de la gran cena.

Todos dirán que falta la comida, sin ella no hay cena, ni fiesta, ni celebración.

Además, es necesario orientar la charla hacia la pregunta: ¿de qué nos sirve tener una mesa lista y comida si el que nos invita no está presente?

DESARROLLO

Marta deja que sus ocupaciones la distraigan de oír la palabra de Jesús. Distribuir *la Hoja del participante*, pp 127-128.

- Leamos el texto de nuestra charla.
- Este pasaje nos habla del encuentro entre Jesús y las hermanas María y Marta en la casa de ellas. Allí, vemos a Jesús predicando y enseñando el camino de la salvación. Jesús habla con sus amigas en su casa, en la comodidad del hogar. María escucha con cuidado y atención el mensaje de Jesús, sus palabras traen vida eterna.
- Marta se aflige por brindar lo mejor a su Maestro. La hospitalidad en la antigüedad era una valor supremo, que debía honrarse poniendo a disposición del huésped lo mejor que

el anfitrión poseía (repasar Génesis 18:1-5, Hebreos 12:1-2 y 1 Pedro 4:8-10). Marta actúa conforme a lo que había aprendido y su propia cultura indicaba.

- Sin embargo, este momento imponía otra conducta, la hospitalidad de Marta hacia Jesús tendría su momento, ahora era tiempo de sentarse a los pies del Salvador. Leamos Mateo 6:33.
- Reflexionemos sobre las actividades que actualmente pueden distraernos de escuchar la palabra de nuestro Salvador. Invite a los participantes a responder a las siguientes preguntas:
- ¿Cuántas de las tareas en las que nos involucramos son realmente tan importantes que nos impiden oír la predicación del evangelio?
- ¿Cuántas actividades que hacemos son excusas para estar ocupados y así despreciamos la invitación de Jesús a oír su Palabra?
- Jesús ayuda a Marta para enfocarse junto a María en "la mejor parte, que nadie le quitará"
- Frente a tantas actividades y distracciones en las que podamos involucrarnos Jesús sigue llamándonos para que no perdamos de vista lo que es realmente importante. Consideremos la historia de Moisés al leer Hebreos 11:24-26 en la hoja del participante.
- Es la predicación del Salvador Jesús la que producirá en nosotros el dulce fruto de la dedicación y atención para dejar de lado toda preocupación que nos desvíe del camino de la verdad y nos distraiga de oír fiel y humildemente las buenas noticias del amor y perdón divinos. Leamos Filipenses 3:12-14.
- Cada vez que Jesús viene a nosotros por medio de la predicación de su Palabra prepara el alimento espiritual que necesitamos. Él nutre nuestro cansado espíritu de tal forma que seamos renovados y fortalecidos. Leamos 1 Pedro 1:23-25.
- Cuando Jesús nos invita a oír su Palabra nos invita a creer y confiar en él sobre todas las cosas. Nuestros esfuerzos y dedicación a cada actividad que emprendamos demanda que pongamos nuestra mirada en Jesús como Señor de nuestra vida. Por lo tanto, en cada cosa buscaremos glorificar al Dios trino mediante el servicio humilde y el testimonio que corresponde a los hijos de Dios. Leamos Juan 6:26-29.
- Finalmente, al poner nuestra atención en Jesús, su obra redentora y palabra de vida, aprenderemos a diferenciar entre lo que trae bendición eterna y aquello que sólo causa preocupaciones. En la mente de los hijos de Dios debe surgir el deseo por los bienes espirituales que Jesús ofrece, ya que son los que perduran para siempre. Todo lo material, que contemplamos con nuestros ojos, pronto pasará, pero lo que no vemos aparte de la fe es lo que rinde frutos para la eternidad, esto nadie lo podrá quitar. 2 Corintios 4:18.

CONCLUSIÓN

Jesús es nuestro pan de vida, él nos ofrece el alimento que nos nutrirá hasta la eternidad. Ni Marta con todo su esfuerzo podría haber ofrecido algo a Jesús. Por el contrario, tanto ella como su hermana María necesitaban reconocer que en la mesa de ese hogar, Jesús era el que traía el alimento espiritual y que ellas simplemente disfrutarían de la provisión eterna que sólo el Hijo de Dios puede dar. Igualmente nosotros, nos sentamos en esta mesa, con el deseo de ser alimentados por la palabra viva de Jesús. Sus promesas permanecen inalterables y por eso confiamos en él cuando sabemos que sólo una cosa es necesaria: Jesús, nuestro Salvador, que nos regala la fe para que creamos y confiemos en su amor, poder para perdonar, y consuelo en nuestras necesidades.

CHARLA 5

JESÚS ME BENDICE PARA VIDA ETERNA

Enseñanza: Somos salvos sólo por la fe en Jesús.

Historia: Pablo y Silas con el carcelero de Filipos.

Base bíblica: Hechos 16:16-34.

INTRODUCCIÓN

Estar en la cárcel no es una situación sencilla, significa que hemos perdido la libertad. Cuando una persona es encarcelada, hay un delito o situación dudosa que lleva a los jueces a determinar que un individuo debe estar en prisión.

Invite al grupo a pensar en las causas por las que una persona puede estar en la cárcel. Ayude a los presentes a ser concretos: homicidio, violencia familiar, estafas, robo, secuestro, etc.

Invite ahora al grupo a responder las siguientes preguntas:

1. ¿Qué significa estar en la cárcel?
2. ¿Qué significa estar en libertad?

DESARROLLO

Distribuir *la Hoja del participante*, pp 129-131. Por supuesto que nadie quiere estar en la cárcel, nadie quiere perder su libertad y todos los beneficios que poseemos al decidir sobre nuestras vidas.

Leamos el texto bíblico de nuestro estudio, Hechos 16:16-34. Este pasaje bíblico nos recuerda que Pablo y Silas fueron encarcelados en la ciudad de Filipos.

Reflexionen sobre las siguientes preguntas:

- ¿Cuál fue el motivo por el que Pablo y Silas fueron a la cárcel?
- ¿Hicieron algo malo? ¿Fue realmente un delito lo que hicieron? (vv 17-21).
- Entonces, ¿fue justo que fueran a la cárcel?

Pablo y Silas fueron encarcelados por predicar el evangelio de salvación que trae libertad a los que creen. Vemos en la historia bíblica que los discípulos fueron a la cárcel, pero los que realmente están encarcelados, atados con las cadenas del pecado, son otros: la joven con espíritu de adivinación (v 16), los amos de la joven dominados por su codicia (v 19), los magistrados y autoridades que los castigaron y encarcelaron injustamente (vv 22-23), y finalmente el carcelero que despreció su vida cuando quiso suicidarse (v 27).

El Salvador Jesús anticipó a sus discípulos que habría oposición y persecución para los cristianos. Pero esto es necesario para que el evangelio sea predicado en todos los pueblos del mundo.

Leamos los siguientes pasajes (Hoja del Participante): Mateo 5:11, Juan 15:21, 1 Pedro 2:9, 1 Pedro 2:20-23.

Consideren las pruebas y desafíos que en cada uno de estos pasajes recibe cada creyente y completen los cuadros correspondientes.

- La libertad del evangelio

Aun en medio de pruebas tan grandes Pablo y Silas no se desanimaron, sino que fueron cuidados y liberados por el gran poder de Dios (por medio de un terremoto).

El carcelero y su familia escucharon el mensaje de salvación y creyeron. Por la obra del Espíritu Santo recibieron la fe, fueron bautizados y por lo tanto tuvieron todas las bendiciones espirituales y eternas que Jesús promete a los que creen en él (v 31).

Ahora, como hijos de Dios el carcelero y su familia son verdaderamente libres de las cadenas del pecado, la muerte y el poder del diablo. Ya no temen a la condenación eterna, sino que disfrutan de la reconciliación, paz y perdón que Jesús les regala plena y perfectamente por su muerte en la cruz.

Leamos Juan 8:31-36 (Hoja del Participante), en este pasaje Jesús promete libertad a sus oyentes.

- Reflexionemos en las causas que impiden a las personas creer en Jesús (orgullo personal, falsas creencias religiosas, esclavitud al pecado, rechazo o desprecio del Salvador).

- Busquemos ahora las promesas que Jesús hace a los creen en él (conocer su Palabra y la verdad, ser libres, pertenecer a su familia, y tener la vida eterna).

ORACIÓN

Por supuesto que nadie quiere estar en la cárcel, nadie quiere perder su libertad y todos los beneficios que poseemos al decidir sobre nuestras vidas.

Leamos el texto bíblico de nuestro estudio, Hechos 16:16-34. Este pasaje bíblico nos recuerda que Pablo y Silas fueron encarcelados en la ciudad de Filipos.

Reflexionen sobre las siguientes preguntas:

- ¿Cuál fue el motivo por el que Pablo y Silas fueron a la cárcel?
- ¿Hicieron algo malo? ¿Fue realmente un delito lo que hicieron? (vv 17-21).
- Entonces, ¿fue justo que fueran a la cárcel?

Pablo y Silas fueron encarcelados por predicar el evangelio de salvación que trae libertad a los que creen. Vemos en la historia bíblica que los discípulos fueron a la cárcel, pero los que realmente están encarcelados, atados con las cadenas del pecado, son otros: la joven con espíritu de adivinación (v 16), los amos de la joven dominados por su codicia (v 19), los magistrados y autoridades que los castigaron y encarcelaron injustamente (vv 22-23), y finalmente el carcelero que despreció su vida cuando quiso suicidarse (v 27).

El Salvador Jesús anticipó a sus discípulos que habría oposición y persecución para los cristianos. Pero esto es necesario para que el evangelio sea predicado en todos los pueblos del mundo.

Leamos los siguientes pasajes (Hoja del Participante): Mateo 5:11, Juan 15:21, 1 Pedro 2:9, 1 Pedro 2:20-23.

Consideren las pruebas y desafíos que en cada uno de estos pasajes recibe cada creyente y completen los cuadros correspondientes.

La libertad del evangelio

Aun en medio de pruebas tan grandes Pablo y Silas no se desanimaron, sino que fueron cuidados y liberados por el gran poder de Dios (por medio de un terremoto).

El carcelero y su familia escucharon el mensaje de salvación y creyeron. Por la obra del Espíritu Santo recibieron la fe, fueron bautizados y por lo tanto tuvieron todas las bendiciones espirituales y eternas que Jesús promete a los que creen en él (v 31).

Ahora, como hijos de Dios el carcelero y su familia son verdaderamente libres de las cadenas del pecado, la muerte y el poder del diablo. Ya no temen a la condenación eterna, sino que disfrutan de la reconciliación, paz y perdón que Jesús les regala plena y perfectamente por su muerte en la cruz.

Leamos Juan 8:31-36 (Hoja del Participante), en este pasaje Jesús promete libertad a sus oyentes.

Celebración de clausura

Canción de apertura: 6 Vengan todos

Invocación

Dedicamos este culto de adoración a Dios Padre que nos bendice a todos por igual, a Dios Hijo que se entregó por nuestra salvación, y a Dios Espíritu Santo que nos mantiene en la gracia.

Líder: Jesús nos invita a todos a que vengamos a su presencia.

Todos: ¡Señor, recibimos la bendición que viene de tu mano!

Líder: Jesús nos llama a su presencia.

Todos: ¡El Señor está atento a nuestras necesidades!

Líder: Jesús nos busca, aun cuando nadie lo hace.

Todos: ¡El Señor busca a aquellos que nadie quiere!

Líder: Jesús nos conduce a su Palabra.

Todos: ¡El Señor nos guía con su Palabra!

Líder: Jesús nos bendice para vida eterna.

Todos: ¡El Señor nos da la salvación!

Líder: Jesús nos invita a todos a que vengamos a su presencia.

Todos: ¡Señor, la salvación viene de tu mano!

Momento de oración

(Realizar una oración agradeciendo la presencia de Dios Padre, Hijo, y Espíritu Santo. Agradecer porque Dios se ocupa de nosotros).

Canción: 5 Libertad para siempre

Confesión de pecados

Líder: Padre, no quisimos recibir tus bendiciones.

Todos: Fuimos de tropiezo para otros.

Líder: No quisimos recibir al Mesías.

Todos: Somos tropiezo para nosotros mismos.

Líder: No quisimos oír tu Palabra.

Todos: Cada día nos alejamos más de ti.

Líder: ¡Padre, sálvanos!

Todos: ¡Señor, líbranos de nuestro pecado!

Líder: ¡Padre, sálvanos!

Todos: ¡Señor, líbranos de nuestro pecado!

Líder: Señor, líbranos de nuestro pecado, porque nos lastima y nos aleja de ti.

Todos: ¡Padre, sálvanos!

Líder: El Señor es fiel y justo y sus verdades son eternas. El Señor perdona nuestro pecado y nos libra de toda maldad. A la luz de su Palabra tenemos salvación.

Todos: ¡El Señor es bueno!

Canción: 2 Cristo me hizo ver

Mensaje

(Sugerimos basar el mensaje en uno de los cinco pasajes bíblicos en que se basan las interpretaciones bíblicas).

Canción: 7 Jesús es salvación

Ofrenda

Damos de lo que hemos recibido.

Canción: 3 Zaqueo y Jesús

Oración comunitaria

(Pueden participar de este momento de oración niños y adultos).

Entrega de los certificados de participación

Canción: 4 Una visita importante

Bendición

Líder: Damos gracias al Señor porque él es bueno. Señor quédate con nosotros, tus amados hijos. Que tu bendición no nos abandone.

Todos: ¡Queremos gozar de tu salvación!

Canción: 1 Valioso para Cristo

CANCIONES

1. Valioso para Cristo

(Lección 1)

Valioso para Cristo

Valioso por su amor

Él me ha justificado

¡Jesús es mi Señor!

Ya puedo estar contento

¡Y puedo ser feliz!

Jesús me ha redimido

¡Al cielo voy a ir! [*Gritando*]

Valioso para Cristo

Valioso por su amor

Él te ha justificado

¡Jesús es tu Señor!

Puedes estar contento

¡Y puedes ser feliz!

Jesús te ha redimido

¡Al cielo vas a ir! [*Gritando*]

2. Cristo me hizo ver

(Lección 2)

Estribillo:

De pecado y de muerte

el Señor me rescató.

Su amor mostró por mí en la cruz,

vida eterna él me dio.

[*Cuando se repite el estribillo al final*] vida eterna en su amor Jesús me dio.

Su Palabra me hace ver

al bendito Dios de amor.

Y me invita, en oración,

mi dolor confiarle a él. *Estribillo*

Como hijo del Señor

siempre pido compasión.

Que me brinde su perdón

y bendiga con su amor. *Estribillo*

Su cuidado y protección

en la cruel necesidad,

el Señor conmigo está,

es mi guía y Salvador. *Estribillo*

3. Zaqueo y Jesús

(Lección 3)

Estribillo:

La ciudad de Jericó,
escenario fue de amor,
pues Zaqueo halló el perdón
de avaricias y rencor.

Ostinato: Escenario fue de amor,
pues Zaqueo halló el perdón.

Cobrador de impuestos es,
y en su cargo jefe es.
Gran riqueza recaudó
y desprecio ganó. *Estribillo*

Mentiroso y ladrón,
despreciable pecador,
al rechazo se enfrentó
por ver al Salvador. *Estribillo*

Fue Jesús quien lo buscó,
lo aceptó con su maldad.
Le brindó su compasión
le dio vida a su hogar. *Estribillo*

4. Una visita importante

(Lección 4)

Estribillo:

Oh, qué gran felicidad
albergar a su Señor.
Las hermanas con amor
recibieron sin dudar
a Jesús y su favor.

Fue María quien posó
a los pies de su Señor.
Sus palabras escuchó
con amor, dedicación,
fe, esperanzas, e ilusión. *Estribillo*

Mas con Marta no fue así,
preocupada preparó
las tareas con afán.
A Jesús le reclamó
de su hermana un favor.*Estribillo*

Cual María se posó
a los pies de su Señor,
yo también quiero escuchar
con amor, dedicación,
fe, esperanzas, e ilusión. *Estribillo*

5. Libertad para siempre

(Lección 5)

El pecado es la cárcel,
que encierra tu corazón,
Pon tu fe sólo en Cristo,
él te da liberación.

Pablo y Silas en la cárcel,
enseñan de libertad,
libertad que trae Cristo
a toda la humanidad.

6. Vengan todos

(Canción de inicio - Toda ocasión)

Vengan todos, vengan ya,
libertad trajo Jesús,
del pecado nos libró,
su amor mostró en la cruz.

Vengan todos, vengan ya,
libertad trajo Jesús
Dios quitó nuestro dolor
¡Aleluya, aleluya, aleluya, aleluya por su amor!

7. Jesús es salvación

(Lección 5 - Toda ocasión)

En medio del dolor
se oía una canción
que brindaba paz
a un triste corazón. *Estribillo*

Estribillo:
Jesús es salvación,
Jesús es salvación.
No dudo, no temo,
Jesús es salvación.

En triste oscuridad
brilló una inmensa luz,
que nos trajo Cristo
con su santa cruz. *Estribillo*

8. Un ciego de Jericó

(Lección 2 - Toda ocasión)

De camino a Jericó
un mendigo pudo oír
muchos pasos y gritó:
¿Qué sucede aquí? *Estribillo*

Estribillo:
¡Compasión de mí, Señor!
Este ciego pudo ver.
Alabanzas por doquier
el gentío proclamó.

En la angustia él buscó
a Jesús de Nazaret
que pasaba por allí.
¡Ten piedad de mí! *Estribillo*

Despreciado mendigó,
y por fin él se encontró
con Jesús y su bondad,
sano ya está. *Estribillo*

1. Valioso para Cristo

Laura Monzón

Germán Falcioni

2. Cristo me hizo ver

Verónica Sturtz

Germán Falcioni

3. Zaqueo y Jesús

Verónica Sturtz

Germán Falcioni

4. Una visita importante

Verónica Sturtz

Germán Falcioni

5. Libertad para siempre

Laura Monzón

Germán Falcioni

6. Vengan todos

Laura Monzón

Germán Falcioni

7. Jesús es salvación

Verónica Sturtz

Germán Falcioni

8. Un ciego de Jericó

Verónica Sturtz

Germán Falcioni

REPRODUCIBLES

ATTENDANCE CHART PANEL DE ASISTENCIA

ATTENDANCE CHART PANEL DE ASISTENCIA

SETTING AMBIENTACIÓN

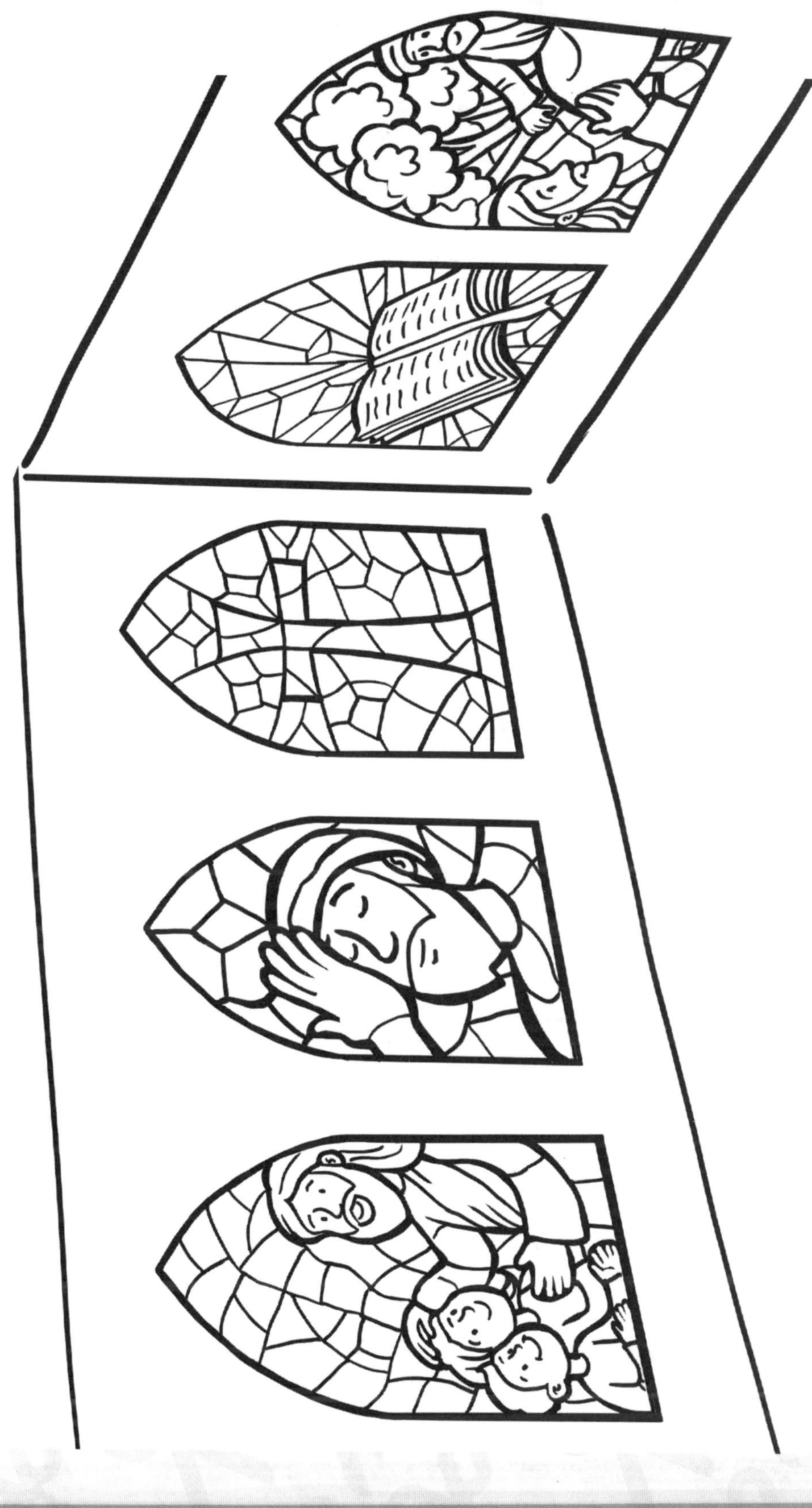

SETTING AMBIENTACIÓN

BIENVENIDA

HORARIOS

Horarios

ANUNCIOS

Anuncios

INVITACIONES

AFICHE PROMOCIONAL

CREDENCIALES

CERTIFICADO DE PARTICIPACIÓN

Certificado De Participación

Entregamos este certificado a: ....

Por haber participado de la

Escuela Bíblica de Vacaciones

Entregado por: ....

Lugar y fecha: ....

LECCIÓN 1 NIVEL 1 — LESSON 1 LEVEL 1

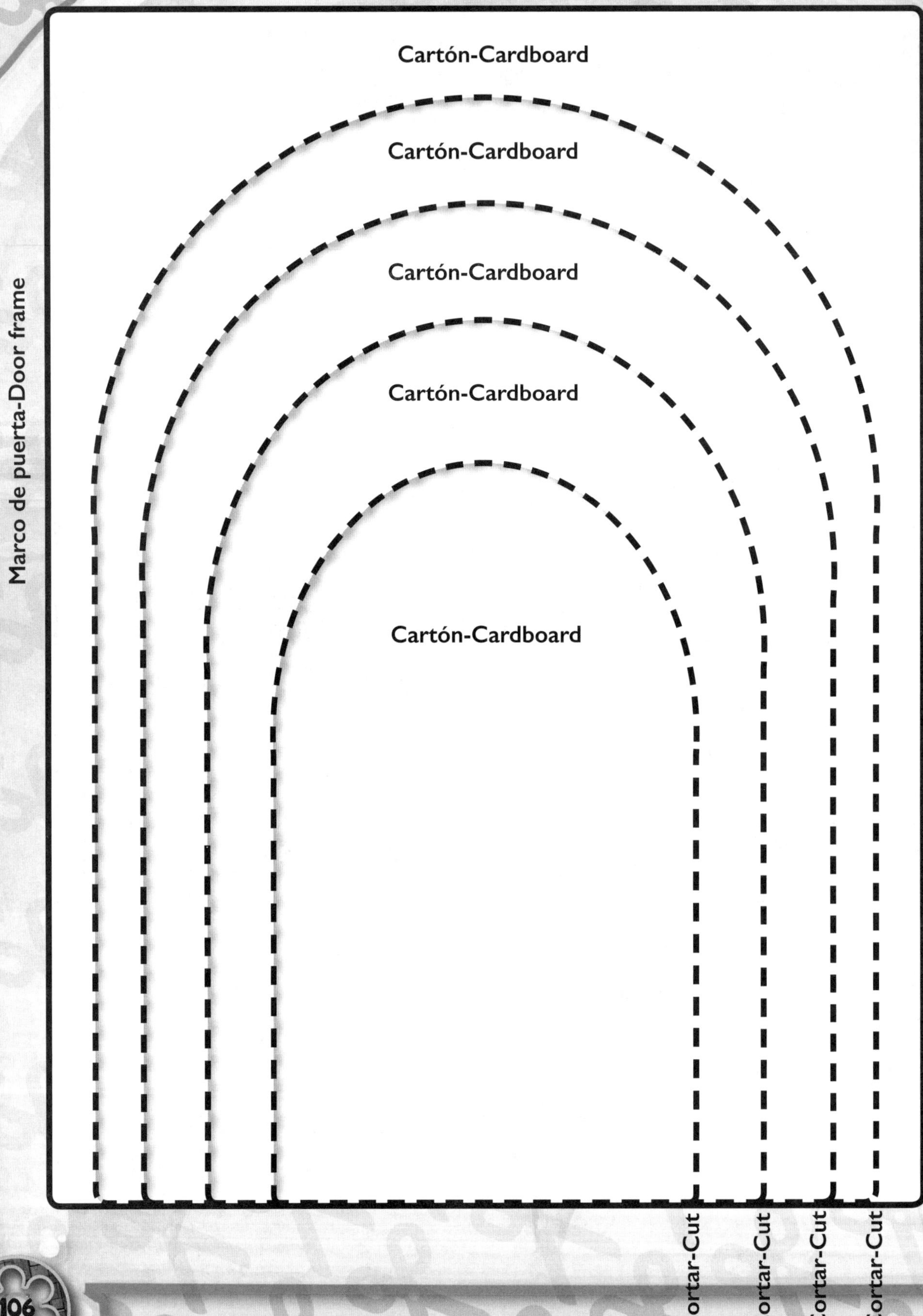

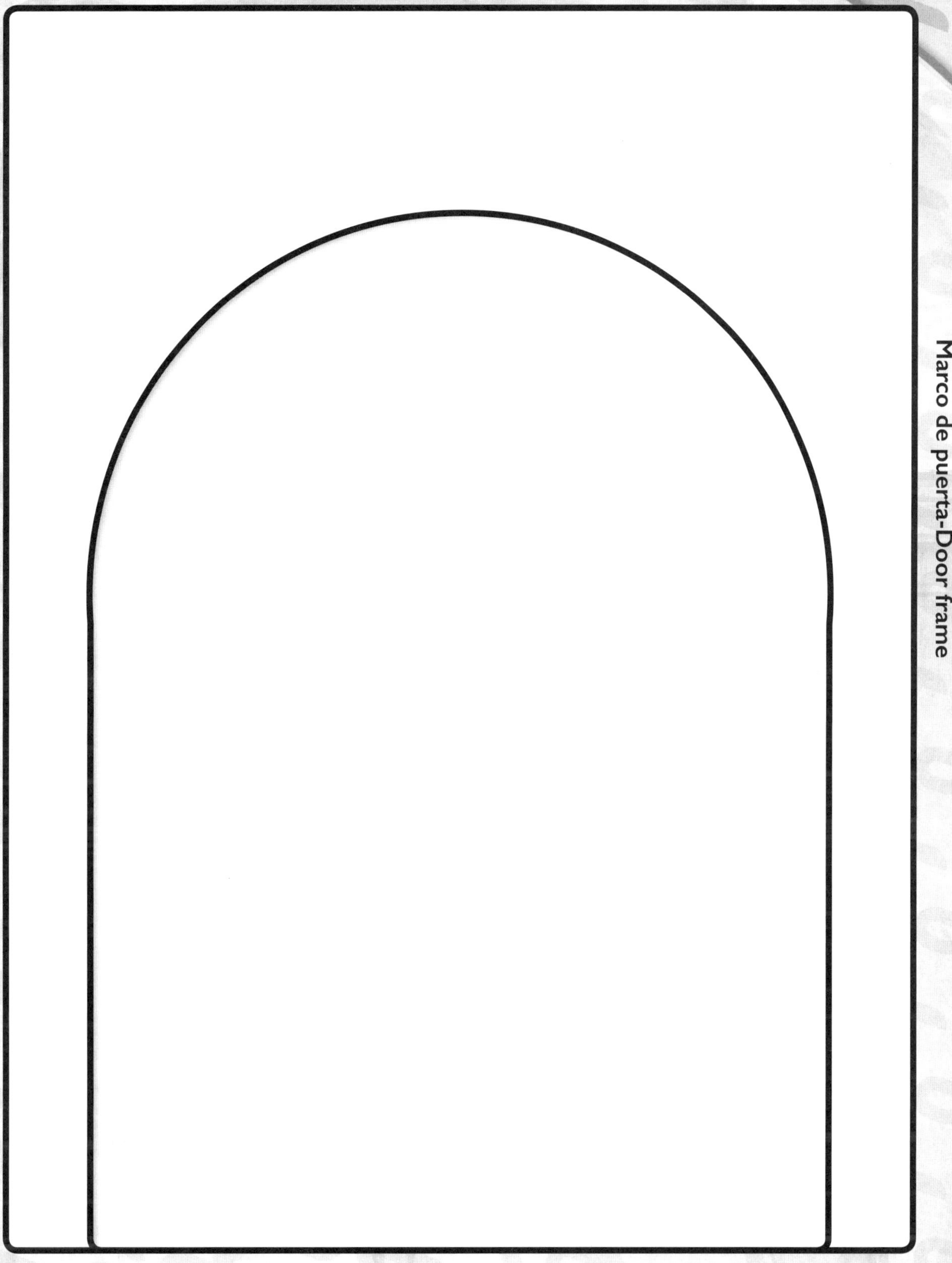
Marco de puerta-Door frame
40 cm-16 inches

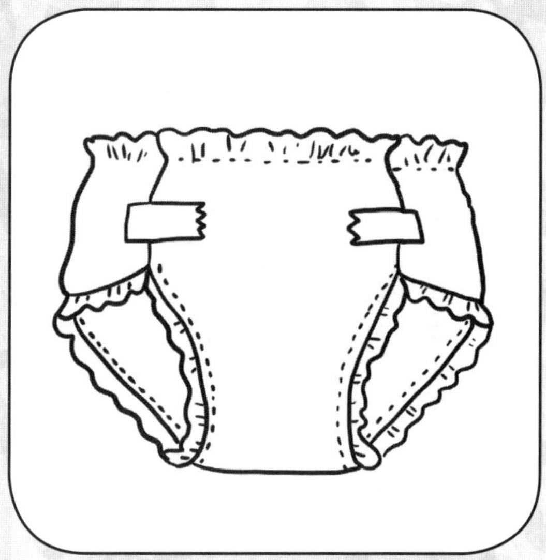

LECCIÓN 1 NIVEL 3

LESSON 1 LEVEL 3

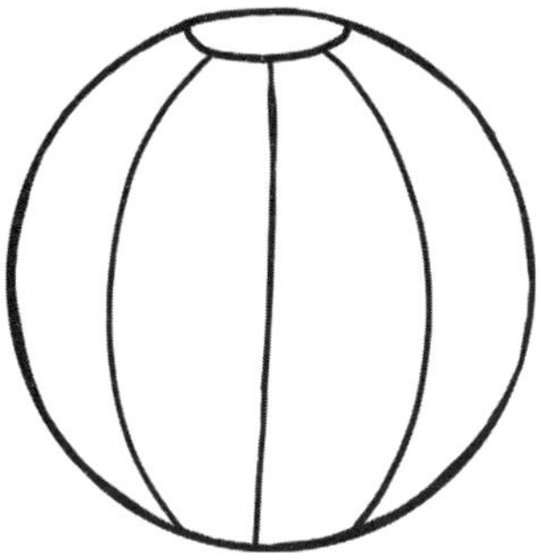

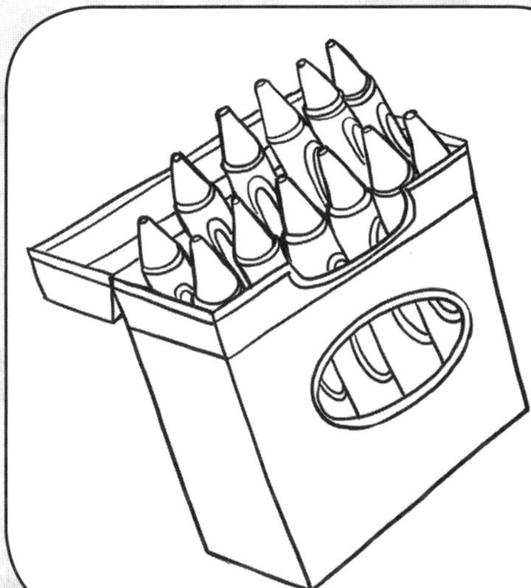

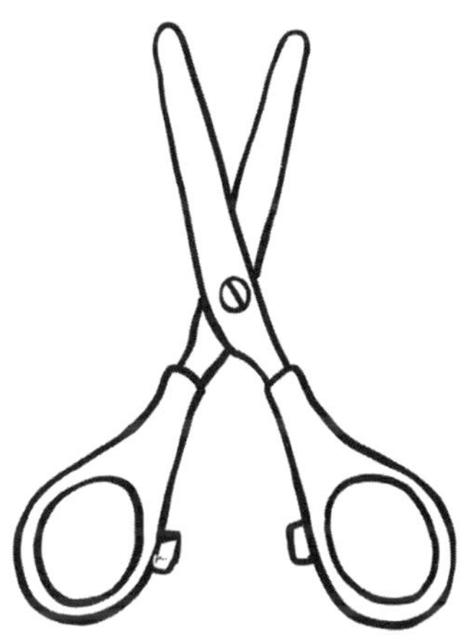

LECCIÓN 1 NIVEL 3 LESSON 1 LEVEL 3

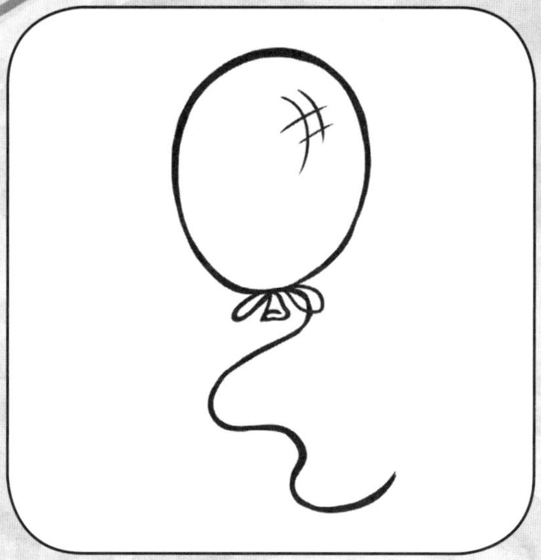

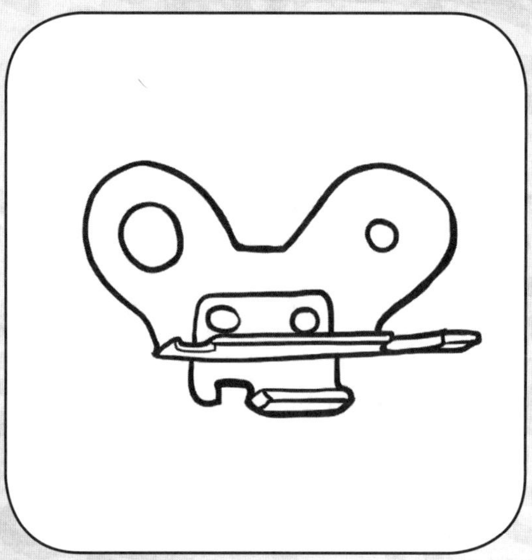

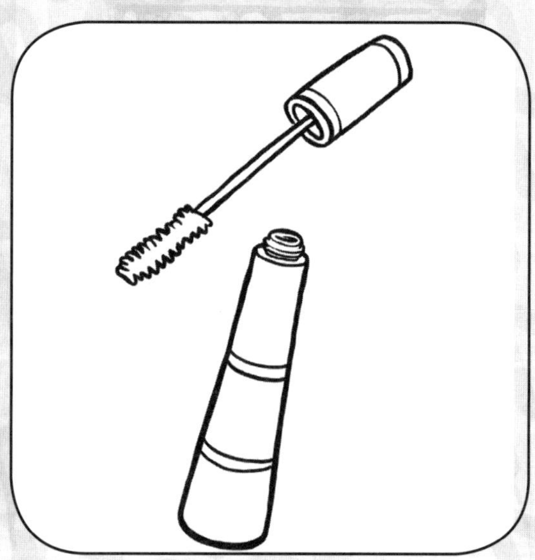

LECCIÓN 1 NIVEL 3

LESSON 1 LEVEL 3

LECCIÓN 2 NIVEL 1

LESSON 2 LEVEL 1

LECCIÓN 3 NIVEL 1

LESSON 3 LEVEL 1

LECCIÓN 3 NIVEL 1

LESSON 3 LEVEL 1

LECCIÓN 3 NIVEL 3

Diálogo para cuatro participantes.

Niño 1: ¿Dónde estará Yaco? El kiosco está solo y hay muchos esperando comprar… (Ocupando el lugar) ¿Qué les vendo?

(En eso entra Yaco, Niño 2 y el grupo de fútbol…)

Niño 1: ¿Dónde estabas? El kiosco estaba solo…

Niño2: Ehhh… no molestes Mateo… ¡no es para tanto!

Niño 1: ¡Pero estaba bajo tu responsabilidad! No puedes irte y dejar todo tirado, al menos hubieras juntado.

Niño 3: (En tono de burla) _ ¿¡Ay, el chico responsable!? ¡No te quejes y hazlo tú…!

Niño 4: (Haciendo señas de burla) _ Vamos, ¡dejemos a éste que se las arregle y de paso que se enoje un poco más!

Niño 2: ¡Eres de lo peor! _ ¡Vamos, dejemos a éste con sus leyes!

Niño 1: (Se queda angustiado).

LECCIÓN 4 NIVEL 1

LESSON 4 LEVEL 1

LECCIÓN 4 NIVEL 1

LESSON 4 LEVEL 1

LECCIÓN 5 NIVEL 1

YO

TE AMO

A TI

....

Jesús Jesús Jesús Jesús

Jesús Jesús Jesús Jesús

LECCIÓN 5 NIVEL 2

LESSON 5 LEVEL 2

LECCIÓN 5 NIVEL 3

Este mensaje es para ti:

"El que crea y sea bautizado, será salvo"

Marcos 16:16

LECCIÓN 1 NIVEL 3

LESSON 1 LEVEL 3

A B C D

E F G H

I J K L

M N O P

Q	R	S	T
U	V	W	X
Y	Z	!	?

HOJA DEL PARTICIPANTE

Lección 1

JESÚS BENDICE A TODOS. A MÍ TAMBIÉN

Lucas 18:15-17

¿Para qué sirven estas señales?

....

....

Hay otras barreras a nuestro alrededor que no están marcadas con señales, ¿cuáles son?

El pecado es una barrera que nos aleja de Dios y de nuestro prójimo:

Romanos 3:23 - Pues no hay diferencia: todos han pecado y están lejos de la presencia gloriosa de Dios.

Gálatas 5:19-21 - Es fácil ver lo que hacen quienes siguen los malos deseos: cometen inmoralidades sexuales, hacen cosas impuras y viciosas, [20] adoran ídolos y practican la brujería. Mantienen odios, discordias y celos. Se enojan fácilmente, causan rivalidades, divisiones y partidismos. [21] Son envidiosos, borrachos, glotones y otras cosas parecidas. Les advierto a ustedes, como ya antes lo he hecho, que los que así se portan no tendrán parte en el reino de Dios.

1. ¿Qué efecto tiene el pecado en la vida de las personas?

....

....

Jesús se ocupa de levantar las barreras que nos separan y nos invita para que nos acerquemos:

Efesios 2:16-18 - Él puso fin, en sí mismo, a la enemistad que existía entre los dos pueblos, y con su muerte en la cruz los reconcilió con Dios, haciendo de ellos un solo cuerpo. [17] Cristo vino a traer buenas noticias de paz a todos, tanto a ustedes que estaban lejos de Dios como a los que estaban cerca. [18] Pues por medio de Cristo, los unos y los otros podemos acercarnos al Padre por un mismo Espíritu.

Colosenses 2:13-14 - Ustedes, en otro tiempo, estaban muertos espiritualmente a causa de sus pecados y por no haberse despojado de su naturaleza pecadora; pero ahora Dios les ha dado vida juntamente con Cristo, en quien nos ha perdonado todos los pecados. Dios anuló el documento de deuda que había contra nosotros y que nos obligaba; lo eliminó clavándolo en la cruz.

Gálatas 5:22-25 - 22 En cambio, lo que el Espíritu produce es amor, alegría, paz, paciencia, amabilidad, bondad, fidelidad, 23 humildad y dominio propio. Contra tales cosas no hay ley. 24 Y los que son de Cristo Jesús, ya han crucificado la naturaleza del hombre pecador junto con sus pasiones y malos deseos. 25 Si ahora vivimos por el Espíritu, dejemos también que el Espíritu nos guíe.

1. ¿Cómo destruye Jesús el efecto del pecado y nos da el perdón?

....

....

1. ¿Cómo se manifiesta en nosotros la nueva vida que Cristo nos da?

....

....

HOJA DEL PARTICIPANTE

Lección 2

JESÚS ME LLAMA A SU PRESENCIA

Lucas 18:35-43

La oscuridad y la imposibilidad de ver son formas bíblicas para referirse a la condición en que se encuentra la humanidad alejada de Dios. Leamos los siguientes pasajes bíblicos:

2 Corintios 4:6 - Porque el mismo Dios que mandó que la luz brotara de la oscuridad, es el que ha hecho brotar su luz en nuestro corazón, para que podamos iluminar a otros, dándoles a conocer la gloria de Dios que brilla en la cara de Jesucristo.

Hechos 26:18 - Te mando a ellos para que les abras los ojos y no caminen más en la oscuridad, sino en la luz; para que no sigan bajo el poder de Satanás, sino que sigan a Dios; y para que crean en mí y reciban así el perdón de los pecados y una herencia en el pueblo santo de Dios."

¿Qué ocurre en nuestras vidas cuando Jesús abre nuestros ojos y nos regala la luz de la salvación?

....

....

Jesús también nos pregunta: "¿qué quieres que haga por ti?"

....

....

Cheque en Blanco

Dar a nombre de: ....

Las siguientes peticiones..

....

Firma: *Jesús*

Juan 15:7 - Si ustedes permanecen unidos a mí, y si permanecen fieles a mis enseñanzas, pidan lo que quieran y se les dará.

Mateo 6:7-8 - Y al orar no repitan ustedes palabras inútiles, como hacen los paganos, que se imaginan que cuanto más hablen más caso les hará Dios. 8 No sean como ellos, porque su Padre ya sabe lo que ustedes necesitan, antes que se lo pidan.

Oramos juntos el Padrenuestro:

Mateo: 6:9-13

Padre nuestro que estás en el cielo,
santificado sea tu nombre.
Venga tu reino.
Hágase tu voluntad en la tierra, así como se hace en el cielo.
Danos hoy el pan que necesitamos.
Perdónanos el mal que hemos hecho, así como nosotros hemos perdonado
a los que nos han hecho mal.
No nos expongas a la tentación,
sino líbranos del maligno.

Porque tuyo es el reino, el poder y la gloria. Amén.

HOJA DEL PARTICIPANTE

Lección 3

JESÚS ME ACEPTA CUANDO NADIE LO HACE

Lucas 19:1-10

Mateo 7:1-5 - »No juzguen a otros, para que Dios no los juzgue a ustedes. [2] Pues Dios los juzgará a ustedes de la misma manera que ustedes juzguen a otros; y con la misma medida con que ustedes den a otros, Dios les dará a ustedes. [3] ¿Por qué te pones a mirar la astilla que tiene tu hermano en el ojo, y no te fijas en el tronco que tú tienes en el tuyo? [4] Y si tú tienes un tronco en tu propio ojo, ¿cómo puedes decirle a tu hermano: "Déjame sacarte la astilla que tienes en el ojo"? [5] ¡Hipócrita!, saca primero el tronco de tu propio ojo, y así podrás ver bien para sacar la astilla que tiene tu hermano en el suyo.

¿Quién tiene poder para juzgar a todas las personas?

....

....

Romanos 3:10-12 - pues las Escrituras dicen: «¡No hay ni uno solo que sea justo![11] No hay quien tenga entendimiento; no hay quien busque a Dios. [12] Todos se han ido por mal camino; todos por igual se han pervertido. ¡No hay quien haga lo bueno! ¡No hay ni siquiera uno!

Apocalipsis 3:19-21 - Yo reprendo y corrijo a todos los que amo. Por lo tanto, sé fervoroso y vuélvete a Dios. [20] Mira, yo estoy llamando a la puerta; si alguien oye mi voz y abre la puerta, entraré en su casa y cenaremos juntos. [21] A los que salgan vencedores les daré un lugar conmigo en mi trono, así como yo he vencido y me he sentado con mi Padre en su trono.

Salmo 27:10 - Aunque mi padre y mi madre me dejaran, Con todo, Jehová me recogerá.

Gálatas 6:1-2 Hermanos, si ven que alguien ha caído en algún pecado, ustedes que son espirituales deben ayudarlo a corregirse. Pero háganlo amablemente; y que cada cual tenga mucho cuidado, no suceda que él también sea puesto a prueba. [2] Ayúdense entre sí a soportar las cargas, y de esa manera cumplirán la ley de Cristo.

Colosenses 3:12 - Dios los ama a ustedes y los ha escogido para que pertenezcan al pueblo santo. Revístanse de sentimientos de compasión, bondad, humildad, mansedumbre y paciencia.

HOJA DEL PARTICIPANTE

Lección 4

JESÚS ME CONDUCE A SU PALABRA

Lucas 10:38-42

Marta deja que sus ocupaciones la distraigan de oír la Palabra de Jesús

Hebreos 11:24-26 – Y por fe, Moisés, cuando ya fue hombre, no quiso llamarse hijo de la hija del
faraón; [25] prefirió ser maltratado junto con el pueblo de Dios, a gozar por un tiempo los placeres
del pecado. [26] Consideró de más valor sufrir la deshonra del Mesías que gozar de la riqueza de
Egipto; porque tenía la vista puesta en la recompensa que Dios le había de dar.

Mateo 6:31-33 - [31] Así que no se preocupen, preguntándose: "¿Qué vamos a comer?" o "¿Qué va-
mos a beber?" o "¿Con qué vamos a vestirnos?" [32] Todas estas cosas son las que preocupan a los
paganos, pero ustedes tienen un Padre celestial que ya sabe que las necesitan. [33] Por lo tanto, pon-
gan toda su atención en el reino de los cielos y en hacer lo que es justo ante Dios, y recibirán tam-
bién todas estas cosas.

1. ¿Cuántas de las tareas en las que nos involucramos son realmente tan importantes que nos impiden oír la predicación del evangelio?

....

2. ¿Cuántas actividades que hacemos son excusas para estar ocupados y así despreciamos la invitación de Jesús a oír su Palabra?

....

Jesús ayuda a Marta para enfocarse junto a María en "la mejor parte que nadie le quitará"

Filipenses 3:12-14 – No quiero decir que ya lo haya conseguido todo, ni que ya sea perfecto; pero
sigo adelante con la esperanza de alcanzarlo, puesto que Cristo Jesús me alcanzó primero. [13] Her-
manos, no digo que yo mismo ya lo haya alcanzado; lo que sí hago es olvidarme de lo que queda
atrás y esforzarme por alcanzar lo que está delante, [14] para llegar a la meta y ganar el premio celes-
tial que Dios nos llama a recibir por medio de Cristo Jesús.

1 Pedro 1:23-25 – Pues ustedes han vuelto a nacer, y esta vez no de padres humanos y mortales,
sino de la palabra de Dios, que es viva y permanente. [24] Porque la Escritura dice:

«Todo hombre es como hierba,
y su grandeza es como la flor de la hierba.
La hierba se seca y la flor se cae,
[25] pero la palabra del Señor permanece para siempre.»

Y esta palabra es el evangelio que se les ha anunciado a ustedes.

ESTUDIOS BÍBLICOS para adultos

Juan 6:26-29 - Jesús les dijo:

—Les aseguro que ustedes me buscan porque comieron hasta llenarse, y no porque hayan en-
tendido las señales milagrosas. 27 No trabajen por la comida que se acaba, sino por la comida que
permanece y que les da vida eterna. Ésta es la comida que les dará el Hijo del hombre, porque
Dios, el Padre, ha puesto su sello en él.

28 Le preguntaron:

—¿Qué debemos hacer para realizar las obras que Dios quiere que hagamos?

29 Jesús les contestó:

—La única obra que Dios quiere es que crean en aquel que él ha enviado.

2 Corintios 4:18 – Porque no nos fijamos en lo que se ve, sino en lo que no se ve, ya que las cosas que se ven son pasajeras, pero las que no se ven son eternas.

HOJA DEL PARTICIPANTE

Lección 5

JESÚS ME BENDICE PARA VIDA ETERNA

Hechos 16:16-34

Completa el cuadro respondiendo a las siguientes preguntas:

¿Qué significa estar en la cárcel?	¿Qué significa estar en libertad?

¿Cuál fue el motivo por el que Pablo y Silas fueron a la cárcel?

....

....

¿Hicieron algo malo?, ¿Fue realmente un delito lo que ellos hicieron? (vv 17-21)

....

....

Entonces, ¿fue justo que ellos fueran a la cárcel? Explica por qué.

....

....

Pruebas	Texto bíblico	Desafíos
	Mateo 5:11 - Dichosos ustedes, cuando la gente los insulte y los maltrate, y cuando por causa mía los ataquen con toda clase de mentiras.	
	Juan 15:20 - Acuérdense de esto que les dije: "Ningún servidor es más que su señor." Si a mí me han perseguido, también a ustedes los perseguirán; y si han hecho caso de mi palabra, también harán caso de la de ustedes.	
	I Pedro 2:9 - Pero ustedes son una familia escogida, un sacerdocio al servicio del rey, una nación santa, un pueblo adquirido por Dios. Y esto es así para que anuncien las obras maravillosas de Dios, el cual los llamó a salir de la oscuridad para entrar en su luz maravillosa.	
	I Pedro 2:20-23 - Pues si a ustedes los castigan por haber hecho algo malo, ¿qué mérito tendrá que lo soporten con paciencia? Pero si sufren por haber hecho el bien, y soportan con paciencia el sufrimiento, eso es agradable a Dios. 21 Pues para esto los llamó Dios, ya que Cristo sufrió por ustedes, dándoles un ejemplo para que sigan sus pasos. 22 Cristo no cometió ningún pecado ni engañó jamás a nadie. 23 Cuando lo insultaban, no contestaba con insultos; cuando lo hacían sufrir, no amenazaba, sino que se encomendaba a Dios, que juzga con rectitud.	

Leamos Juan 8:31-36:

Jesús les dijo a los judíos que habían creído en él:

—Si ustedes se mantienen fieles a mi palabra, serán de veras mis discípulos; 32 conocerán la verdad, y la verdad los hará libres.

33 Ellos le contestaron:

—Nosotros somos descendientes de Abraham, y nunca hemos sido esclavos de nadie; ¿cómo dices tú que seremos libres?

34 Jesús les dijo:
—Les aseguro que todos los que pecan son esclavos del pecado. 35 Un esclavo no pertenece para
siempre a la familia; pero un hijo sí pertenece para siempre a la familia. 36 Así que, si el Hijo los hace
libres, ustedes serán verdaderamente libres.

¿Cuáles son los motivos que impiden a las personas creer en Jesús?

....

....

¿Cuáles son las promesas que hace Jesús a los que creen en él?

....

....